노잉

미래가 이끄는 삶, 보장된 성공으로 가는 길

Knowing

노잉

안도 미후유 지음 | 송현정 옮김

오월구일

CONTENTS

프롤로그

인생을 바꾸고 싶으신가요?

성공한 사람들에게 나타나는 '이것'

'제 꿈은 일류 프로 야구 선수입니다. …프로 구단의 지명을 받아 1억 엔 이상 계약금을 받고 입단하고 싶습니다. …등번호는 51번이면 좋겠습니다. 일본에서 최고가 된 후, 메이저리그로 가서 MVP를 타는 것이 목표입니다. …시합에 나가게 되면 그동안 감사했던 모든 분을 꼭 초대하고 싶습니다.'

미국 메이저리그에서 활약하며 일본인 최초로 MVP까지

수상한 야구 선수 이치로가 초등학생 때 쓴 글이다. 마치 자신이 유명한 야구 선수가 되리라는 걸 미리 알고 있는 것처럼 구체적으로 묘사하고 있다.

일본을 대표하는 축구 선수 혼다 케이스케 역시 초등학교 졸업 앨범에 '월드컵에서 이름을 날리고 유럽 세리에A에 입단할 것이다. 주전 선수가 되어 등번호 10번을 달고 뛰겠다'는 글을 남겼다. 그는 훗날 자신의 글처럼 세리에A의 명문 구단 AC밀란에 입단하여 등번호 10번을 부여받았다.

두 사람의 이야기는 어릴 때부터 명확한 목표를 세우고 노력한 끝에 일류 선수가 되었다는 동기부여 사례로 사람들의 입에 자주 오르내린다. 하지만 내 생각은 다르다. 그들이 놀라울 정도로 구체적인 목표를 세운 것이 아니라, 세계에서 이름을 날리는 선수가 된 미래의 모습을 '알고' 있었던 것이다. 무슨 엉뚱한 소리냐고? 예를 조금 더 살펴보자.

한국에서도 유명한 작가 요시모토 바나나는 소설을 쓰기 얼마 되지 않았을 무렵부터 자신의 소설이 해외에서 인기를 끄는 모습이 뚜렷하게 보였다고 한다. 출판사 편집자에게 "외국에서 번역될 때를 고려해서 이렇게 써봤어요"라고 했는데, 영문을 알 리 없는 편집자가 "도대체 언제 번역된다는 거예요?"라며 어이없어했다는 일화가 전해진다.

소프트뱅크의 손정의도 회사를 설립하자마자 언젠가 매출을 조 단위로 세게 될 것이라고 호언장담했다고 한다.

어떤 분야에서든 최고가 된 사람들은 자신이 지금과 같은 성공을 거두리라는 사실을 이미 예감했다고 말하는 경우가 많다. 그들의 이야기는 대체로 비슷하다. 현재의 상황과 관계없이 미래의 성공을 예감했고, 의심이나 망설임 없이 노력한 결과 예감이 실제가 되었다는 것이다.

"명확한 근거는 없지만, 왠지 전 제가 충분히 해내리라는 자신이 있었어요."

그들이 과감하게 도전할 수 있던 이유는 바로 어떤 형태로든 자신의 미래를 미리 알고 있었기 때문이다.

인생을 바꾸는 단 하나의 키워드

미래에 일어날 일을 마치 미리 겪어보기라도 한 것처럼 '알고 있는' 상태. 이걸 도대체 어떤 말로 설명해야 할까?

고민하던 차에 노잉Knowing이라는 단어가 떠올랐다. 노잉은 '알고 있다'라는 뜻이지만, 좀 더 범위를 넓혀보면 '미래에 일어날 일에 대한 확신'이라는 의미로도 사용된다.

미래에 어떤 일이 일어날지 미리 알고 감에 이끌려 움직인 결과, 인생이 송두리째 뒤바뀌는 일이 일어나거나 이러한 현상을 일으키는 마음 상태를 '노잉'이라고 부르기로 했다.

노잉이라는 현상이 존재한다는 사실, 그리고 언젠가 나에게도 노잉이 찾아올 수 있다는 사실을 알면 인생을 살아가는 방식은 크게 변한다. 우리는 지금까지 장래희망이나 목표를 정할 때 현실을 파악하고 오랫동안 고민해서 정하는 게 당연하다고 생각해 왔다. 하지만 이제 그럴 필요가 없다. 자연스럽게 '보이게' 될 테니 말이다. 노잉을 아는 사람은 자신의 인생을 신뢰하고 안정감을 느낄 뿐만 아니라 미래에 대한 희망도 품게 된다.

흔히 꿈과 목표를 갖고 끊임없이 노력하는 삶을 훌륭하다고 생각한다. 스스로 정한 목표를 달성한 사람이야말로 능력 있고 칭찬받아 마땅한 사람이라고 치켜세운다. 그래서 많은 이들이 '멋진 사람이 되고 싶다'라든가 '성공한 사람이 될 거야'라며 그럴듯한 목표를 억지로 짜내고 그걸 이루기 위해 무작정 앞만 보고 달린다. 하지만 그렇게 정한 자신의 꿈과 목표를 실현하는 사람은 극소수에 불과하고 대다수는 목표를 이루는 방법조차 모르고 우왕좌왕하다가 마음에 상처만 입기 십상이다.

물론 꿈과 목표를 향해 노력하는 모습은 그 자체로 아름답고 존중받아 마땅하다. 그러나 그 노력이 반드시 행복으로 이어진다고는 장담할 수 없다. 대부분은 스스로가 어떤 사람인지조차 정확히 알지 못한 채 그럴싸한 꿈과 목표를 좇기에만 바쁘다. 개중에는 자신과 전혀 맞지 않는 길에서 헤매는 사람도 제법 많다.

이렇게 말하는 나 또한 전형적인 목표달성형 인간이었다. 수치화된 목표를 정해놓고 어떻게 해서든 목표를 달성해야만 직성이 풀리곤 했다. 그런데 어렵사리 목표를 클리어 해도 기쁨과 성취감을 느끼는 순간은 찰나에 불과했다. 바로 이어서 또 다른 목표를 향해 전속력으로 달려야만 했으니까. 내가 목표를 좇고 있는 건지, 아니면 내가 목표에 쫓기고 있는 건지 모를 삶이었다.

꿈에 그리던 목표가 현실이 되고 기대조차 하지 않았던

화려한 세계도 경험했지만, 나는 또다시 끝없이 이어지는 목표의 무한 루프 속에서 괴로움과 허무함에 허덕였다. 그러나 노잉을 알게 된 후, 내 인생은 분명하게 바뀌었다. 미래에 대한 불안, 내 것이 아닌 목표, 허황된 꿈 등으로부터 자유로워지자 내 미래가 또렷하게 보였다.

이 책을 통해 전하고 싶은 메시지는 분명하다. **누구에게나 노잉이 일어날 수 있다는 것, 다시 말해 누구든지 자신의 최고의 미래를 볼 수 있고 실현할 수 있다는 사실**이다.

노잉은 우리 모두에게 일어나지만 언제 어떤 방식으로 찾아올지는 저마다 다르고 마음대로 조절할 수도 없다. 그러나 그 특별한 감각을 바로 알아차릴 수 있도록 미리 준비하는 건 가능하다.

일류 스포츠 선수들이 경기 전에 자신만의 특별한 동작을 반복하며 집중력을 높이고, 유명 경영인이나 사업가가 틈틈이 명상으로 생각을 정리하는 것처럼 노잉이 일어났을 때 그때를 놓치지 않고 확실히 자신의 것으로 만들기 위해 준비하는 일도 중요하다. 아니, 어쩌면 우리가 할 수 있는 건 그 '준비' 뿐인지도 모른다.

미래로부터의 메시지는 끊임없이 우리에게 전달되고 있

다. 유리창에 뿌옇게 먼지가 쌓이면 창밖 풍경이 잘 보이지 않듯이 머릿속이 근심으로 가득 차 있거나 마음에 여유가 없으면 미래에 보내온 메시지를 발견하지 못하고 지나쳐 버릴 수도 있다. 또는 불안하고 초조하고 후회하는 감정들이 생각을 방해해서 눈앞의 메시지를 잘못 해석할지도 모른다.

보장된 미래를 향한 첫걸음

일상생활 속에서 우리는 고작 2~5%의 표층의식만 사용한다. 진짜 우리 인생을 움직이는 건 훨씬 더 깊은 곳에 압도적인 크기로 자리 잡고 있는 잠재의식이다. 평소에는 아주 깊숙한 곳에 있어서 겉으로 보이지 않기 때문에 잠재의식을 전부 파악하기는 어렵지만, 과거에 있던 여러 가지 기억이나 경험은 물론 '미래의 기억'도 잠재의식에 포함되어 있다고 본다. 여기서 미래의 기억이란 미래로부터의 정보를 감지하는 센서나 안테나 같은 역할이라고 하는 편이 더 적절할지도 모르겠다. 이렇게 시공을 초월한 의식의 신비

함은 심층심리학을 비롯하여 양자역학, 뉴사이언스와 같은 연구를 통해 조금씩 밝혀지고 있다.

일반인인 우리는 '체험'을 통해 노잉이라는 미지의 세계를 조금이나마 알 수 있다. 노잉은 우리 삶의 희망이자 어두운 길을 밝혀주는 등불과 같다. 이미 벌어진 과거의 일이나 지금 눈앞에 닥친 현재는 확정된 사실이므로 의심할 여지없이 받아들일 수밖에 없다. 반면 아직 확정되지 않은 미래는 어떤가? 어떤 일이 일어날지 모르기 때문에 불안하고 무서운 나머지 앞으로 나아가기를 망설이는 사람들도 있다.

하지만 앞으로 벌어질 미래를 이미 알고 있다면? 지금보다 훨씬 더 확신을 갖고 자신 있게 인생을 살아갈 수 있지 않을까? 노잉을 통해 미래로부터의 메시지를 받음으로써 우리는 미래를 향한 첫걸음을 내디딜 용기를 얻는 셈이다.

내가 지금까지 만나온 훌륭한 삶을 사는 이들도 노잉을 인지하고 노잉이 이끄는 대로 성공을 거두며 누구나 부러워할 만한 인생을 손에 넣었다.

이 책을 읽고 있는 당신도 이미 노잉을 경험했을지도 모른다. 혹은 이 책을 선택했다는 것 자체가 노잉의 존재를 깨닫고 그 메시지를 실천에 옮기고 있다는 증거일 수도 있다. 이 책을 통해 당신에게도 인생에 선물과도 같은 순간이 찾아오기를 진심으로 바란다. 노잉의 신비한 세계에 온 것을 환영한다.

당신의 최고의 미래를 찾기 위한 모험을 떠나보자.

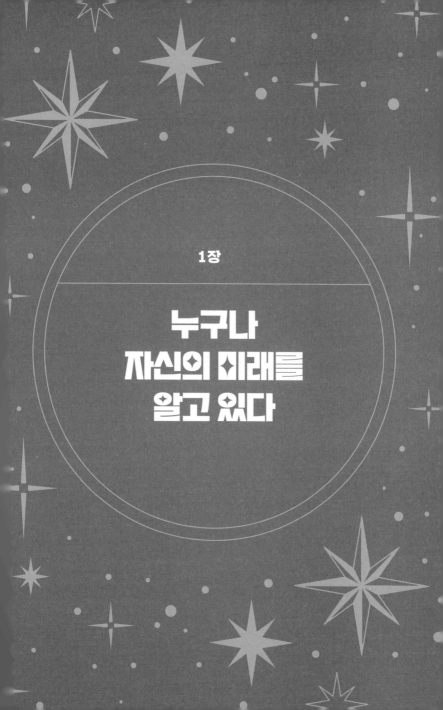

1장

누구나
자신의 미래를
알고 있다

"노잉이라는 현상이 존재한다는 사실, 그리고 언젠가 나에게도 노잉이 찾아올 수 있다는 사실을 알면 인생을 살아가는 방식은 크게 변한다."

세계적인 소설가가 탄생한 순간

일본을 대표하는 세계적인 소설가 무라카미 하루키는 자신의 저서 《직업으로서의 소설가》에 소설을 쓰기로 결심한 계기가 되었던 신기하고도 이상한 경험에 관해 이렇게 쓰고 있다.

20대였던 하루키는 어려운 생활 속에서도 열심히 돈을 모아 작은 재즈 바를 운영하고 있었다. 유난히 화창했던 어느 봄날, 하루키는 여느 때와 다름없이 일을 마친 뒤 야구장에 가서 맥주 한잔을 마시며 경기를 관람했다. 무엇 하나 특별할 것 없는 아주 평범한 날이었다. 그런데 야구공이 경쾌한 소리를 내며 하늘 높이 솟아오르는 모습을 본 순간, 밑도 끝도 없이 '그래, 나도 소설을 쓸 수 있을지도 몰라'라는 생각이 들었다.

그때까지만 해도 하루키는 책을 즐겨 읽기는 했지만, 소설을 써본 적이 단 한 번도 없었을 뿐 아니라 소설가가 되겠다고 생각한 적조차 없었다고 한다. 하지만 하얀 야구공이 파란 하늘을 가로지르던 바로 그 순간, '소설을 쓸 것이다'라는 확신이 들었다고 한다.

그는 앞서 말한 책 속에서 그때의 감각을 이렇게 설명한다.

'하늘에서 팔랑거리며 천천히 내려오는 무언가를 두 손으로 멋지게 받아낸 느낌이었다.'

야구 경기가 끝나자마자 그는 원고지와 만년필을 사러갔다. 그리고 재즈 바의 영업을 마친 늦은 밤, 부엌 식탁에 앉아 소설을 써 내려가기 시작했다. 이것이 전 세계가 사랑하는 대작이 탄생한 순간이자, 여러 차례 노벨문학상 후보로 이름을 올린 위대한 소설가의 첫걸음이었다.

이후 하루키는 꼬박 반년에 걸쳐 소설을 완성했고 문학상 공모전에 응모한다. 그리고 얼마 뒤 그의 작품이 최종 심사만을 남기고 있다는 연락을 받았다. 이때 하루키는 다시 한번 이상한 경험을 하게 된다. 산책을 하다가 우연히 다친 비둘기를 발견해 근처 파출소에 데려가는 길이었다. 따스한 봄날의 햇살을 느끼며 걸어가던 그때, 그는 퍼뜩 '이 문학상을 받고 등단하여 소설가로 성공을 거두게 될 것이다'라는 확신이 들었다.

실제로 하루키는 그 문학상을 타고 작가로 데뷔한다. 그리고 우리가 모두 아는 것처럼 헤아릴 수 없이 많은 명작을 내놓으며 세계적인 소설가가 되었다.

하루키는 이 같은 경험들을 '어느 날 갑자기 눈앞에 무언가가 나타나 모든 걸 바꿔버렸다'라고 표현하며 '갑작스러운 깨달음'을 뜻하는 영어 단어인 에피파니Epiphany에 비유하기도 했다.

자신의 의지와 상관없이 생각지도 못했던 미래를 깨닫고, 마치 이미 정해져 있던 것처럼 일을 진행하거나 혹은 일이 진행되어 가는 것. 이와 같은 경험은 그야말로 기묘하다고밖에 표현할 길이 없다. 하지만 인생을 살다 보면 이런 일이 일어나기도 한다.

국민 MC가 열어젖힌 미래를 향한 문

불현듯 자신의 미래가 보였다고 말하는 사람이 또 있다. 일본의 유명 배우이자 국민 MC로서 오랜 시간 활약하고 있는 타모리가 연예계에 입문하게 된 계기도 무척이나 흥미롭다.

타모리는 1980년대부터 무려 31년 동안 한 프로그램의 사회를 맡으며 생방송 버라이어티 프로그램을 가장 오랫동안 진행한 사회자로 기네스 세계기록에 등재되기도 한 인물이다. 이런 그가 방송을 시작한 건 우연한 기회 덕분이었다.

타모리는 대학을 중퇴하고 고향인 후쿠오카에 돌아가 보험 판매, 볼링장 아르바이트 등 여러 일을 전전하며 지냈다. 그러던 어느 날 대학 시절 활동했던 재즈 동호회의 친구가 후쿠오카에 온다는 소식을 듣고 호텔에서 만나기로 한다. 친구는 당시 유명한 재즈 뮤지션의 매니저였다.

친구와 즐겁게 시간을 보내고 나와 호텔 복도를 지나는데 방문 하나가 살짝 열려있었고, 문 사이로 왁자지껄한 웃음소리가 흘러나왔다. 그 방에서는 연주를 마친 재즈 뮤지션들이 회포를 풀고 있는 참이었다. 타모리는 무슨 생각에서였는지 문을 열고 그 방에 들어가 자신의 주특기인 말솜씨를 뽐내며 뮤지션들과 아침까지 떠들썩한 시간을 보냈다. 그때 방에 함께 있던 뮤지션 중 한 명이 도쿄에 돌아가 '하카타에 엄청나게 재미있는 녀석이 있다'고 이야기해준 덕분에 타모리는 도쿄에 갈 수 있었고, 만화가인 아카츠카 후지오의 눈에 들어 연예계에 발을 들여놓게 되었다.

타모리는 그날 호텔에서 있었던 일을 돌이켜 생각하며

"이 문을 열고 들어가면 다른 세계가 기다리고 있다는 걸 알고 있었다"고 말했다.

명작은 어디에서 오는 걸까?

후세에 길이 남을 명작을 남긴 예술가들에게는 공통점이 있다. 그들이 작품을 만드는 과정을 보면 마치 완성된 작품의 모습을 '미리 알고 있는' 것처럼 보인다는 점이다. 머리를 감싸 쥔 채 억지로 끄집어내는 게 아니라 마치 어딘가에 이미 존재하는 작품을 다운로드하는 것처럼 말이다. 그래서인지 모차르트가 그린 악보에는 수정한 흔적이 전혀 없다. 그는 '나는 어딘가에서 울려 퍼지는 멜로디를 그저 악보에 옮겨 놓았을 뿐이다'라는 유명한 말을 남기기도 했다.

밥 딜런도 곡을 쓸 때 이미 존재하는 곡을 듣고 쓰기만 할 뿐이라고 말했다. 그의 명곡 〈Blowin' in the Wind〉는 10분 만에 만든 것으로 유명하다. "이 곡을 만들 때 창조의 샘에서 만들어진 노래가 머릿속에 저절로 떠올랐다"고 한 인터뷰가 오랫동안 회자되기도 했다. 그가 말하길, 쉽고 빠르게 만들어진 곡일수록 좋은 곡이라나.

자신이 만든 곡의 멜로디를 꿈속에서 미리 '들은' 사람도 있다. 바로 비틀즈의 전 멤버, 폴 매카트니다. 어느 날 밤 꿈속에서 아름다운 노래를 들었는데, 그 선율이 너무나 인상 깊은 나머지 잠에서 깬 뒤에도 또렷하게 기억할 정도였다고 한다. 어디선가 들었던 곡이 꿈에 나온 것으로 생각한 그는, 한동안 만나는 사람마다 멜로디를 들려주고 어떤 노래인지 아느냐고 물어봤지만 아무도 아는 사람이 없었다. 그제야 이 멜로디가 세상 어디에도 존재하지 않는다는 걸 확신한 폴은 비로소 자신의 이름으로 곡을 발표했는데, 이 노래가 바로 비틀즈의 명곡 〈Yesterday〉이다.

이런 신기한 일들이 일어나는 건 음악계뿐만이 아니다. 이탈리아가 낳은 위대한 조각가 미켈란젤로는 "모든 대리석 안에는 이미 조각이 숨어있다. 조각가는 숨어있는 조각을 발견하기만 할 뿐이다"라는 말을 남겼다.

《해리포터》 시리즈로 전 세계 독자들을 사로잡은 작가 J.K. 롤링도 해리포터 이야기가 '문득 떠올랐다'고 말한다. 런던에서 아르바이트를 전전하며 어렵게 생계를 꾸려가던 그녀는 주말이면 맨체스터에 가서 시간을 보내곤 했다. 어느 날, 맨체스터에서 런던으로 돌아오는 기차에 앉아 멍하니 있던 그녀의 머릿속에 여러 이미지가 떠올랐다. 주인공 소년의 모습과 마법 학교의 풍경들…… 끊임없이 샘솟는 이미지와 이야기는 기차가 런던에 도착할 때까지 무려 4시간 동안이나 이어졌고, 하필 종이도 펜도 갖고 있지 않았던 그녀는 그 모든 것을 고스란히 머릿속에 담아 소설을 완성했다.

이밖에도 마치 이미 어딘가에 존재하고 있던 작품을 '발견'한 것처럼 명작을 창조해낸 예술가의 일화는 수없이 많다. 이것을 어떻게 설명해야 할까?

시간이 미래를 향해 흐른다는 착각

앞서 말한 사례들을 살펴보면 우리의 미래나 역사적으로 길이 남을 작품은 대략적으로나마 정해져 있다는 생각이 든다. 그리고 그것을 일종의 비전이나 예감처럼 미리 보는 일도 가능한 것 같다. 어떻게 이렇게 불가사의한 일들이 벌어질 수 있는 걸까?

그 답을 찾기 위해서는 시간 개념에 대한 새로운 인식이 필요하다. 대부분의 사람들은 시간이 과거에서 미래를 향해 흘러간다고 믿지만, 나는 시간이 **미래에서 현재를 향해 흘러온다**고 생각한다.

현재 우리가 사용하는 시계는 시곗바늘이 문자판 위를 움직이는 구조이다. 하지만 일본에서 에도시대까지 사용하던 전통 방식의 시계는 시곗바늘은 가만히 있고 문자판이 움직여 시간을 알려주는 구조였다. 다시 말해, 현재(바늘)가 미래를 향해 움직이는 것이 아니라 현재를 향해 시간(문자판)이 움직이는 형태였다는 말이다. 이를 통해 미루어 짐작건대 옛 일본인들은 시간이 미래로부터 흘러온다고 믿었던 게 아닐까 싶다. 서양에서 오늘날과 같은 형태의 시계가 들어온 뒤에야 시간이 과거에서 미래를 향해 흐른다는 개념이 생겼고, 모든 일의 원인을 과거에서 찾는 '과거 원인설'도 그때부터 생겨난 것으로 보인다.

고전이라 할 수 있는 뉴턴의 물리학도 모든 일과 현상을 인과율로 설명한다. 모든 운명은 이미 결정되어 있으므로 과거를 알면 미래도 얼마든지 예측할 수 있다고 생각했다. 하지만 훗날 아인슈타인이 발견한 아주 단순한 방정식이 시간이 한 방향으로만 흐르지 않는다는 사실을 밝혀냈다. 아인슈타인이 친구에게 보낸 편지에 '물리학자들에게는 과거, 현재, 미래가 존재하지 않는다'라고 썼다는 것도 이미 유명한 이야기이다.

사람들이 미래를 막연히 불안해하고 다시는 돌아갈 수 없는 과거에 연연하는 까닭은 시간이 과거로부터 미래를 향해 오로지 한 방향으로만 흐른다고 믿기 때문이다.

나는 2017년에 바샤르Bashar와의 대담을 수록한 책《미래를 움직이다未来を動かす》(한국 미출간)를 출간했다. 바샤르는 시간과 공간을 뛰어넘는 다차원적 존재로 다릴 앙카Darryl Anka라는 아랍계 명상가의 몸을 빌려 메시지를 전달한다. 이 무슨 허무맹랑한 소리인가 싶은 사람도 있겠지만, 40년이라는 긴 시간 동안 이어지고 있는 바샤르의 메시지는 많은 이들에게 공감을 얻고 있을 뿐 아니라 우리에게 인생의 힌트를 주고 있다.

바샤르는 '현재' 속에 모든 과거와 미래가 숨겨져 있다고 말한다. 이 말은 현재를 어떻게 살아가느냐에 따라 과거도 미래도 내가 마음먹은 대로 창조할 수 있다는 뜻이기도 하다. 달리는 기차 안에서 창밖을 바라보면 풍경이 앞에서부터 와서 뒤로 사라진다. 이와 마찬가지로 우리가 현재라는 시간에 있을 때 시간이 앞에서 와서 뒤를 향해 흘러갈 수도 있다고 보는 것이다. 시간을 입체적으로 바라보면 전혀 새로운 세계가 펼쳐진다.

일본은 물론 세계를 무대로 활약하고 있는 작가, 혼다 켄은 책을 쓸 때 의식 속에서 미래로 날아가 서점에 진열된 책들의 제목과 내용을 보고 글감에 대한 힌트를 얻는다고 한다. 그가 오랫동안 작가로 사랑받는 이유 역시 시간의 흐름을 자신의 편으로 만든 덕분이다.

일본의 통신사 KDDI의 전신인 DDI(다이니덴덴, 第二電電)의 창립을 주도하고 브로드밴드(초고속 인터넷)와 모바일 회사를 차례로 설립하며 '연쇄 창업가'라는 별명을 얻은 센모토 사치오 회장은 인생을 마르코프 과정Markov process이라고 표현했다. 수학 용어인 마르코프 과정은 미래 변수의 값은 현재의 값에만 의존하며 과거의 값과는 전혀 관계가 없다고 보는 개념이다. 과거의 실적에 얽매이면 절대 새로운 도전을 향한 첫걸음을 디딜 수 없다. 센모토 회장이 잇따라 기업을 설립하고 성공을 거둘 수 있었던 것도 과거의 실적이나 경험에 의존하지 않았기 때문이다.

미래는 과거의 연장선이 아니다. 강에 비유하면 시간은 상류(미래)에서 하류(현재)로 흐른다. 과거에 아무리 큰 좌절과 실패를 경험했더라도 현재에는 아무런 영향도 끼치지 않는다. 따라서 미래는 모든 사람에게 공평하게 열려있다.

흔히 사람들은 새로운 일을 구상하거나 준비할 때 가장 먼저 자신의 경험과 실적을 바탕으로 무엇을 해야 할지 고민한다. 출판사에서 편집자로 오래 일한 사람이 편집 프로덕션을 차린다든가 프리랜서 작가가 되든가 하는 것처럼 말이다. 요식업에 몸담았던 사람 중에는 그 경험을 살려 레스토랑이나 카페, 바 등을 직접 차리는 경우도 많다.

하지만 나는 새로운 커리어란 새로운 미래를 만들어나가는 일이라 생각한다. 물론 과거의 경험을 살리는 일이 잘못되었다는 말은 아니다. 다만, 과거에 했던 일과 관련 있는 일만 찾는 건 자신의 가능성을 스스로 좁히는 것과 다름없다.

'나는 서비스업계에 오래 있었으니까 IT업계에는 못 갈 거야'

'나는 영업의 영자도 모르니까 사람들에게 물건을 파는 건 불가능해'

안타깝게도 이렇게 자신의 한계를 결정짓거나 미래에 대한 확신이 없어 생각 자체를 포기해버리는 사람이 너무나 많다. 내가 특정 업무나 직급, 직책에 얽매이지 않는 프리랜서로 일할 수 있었던 것은 과거의 경력에 연연하지 않고 무한한 미래의 가능성에 인생을 걸어보기로 다짐했기 때문이다.

SNS를 통해 그런 나를 널리 알리기 위해 노력하자 어느 순간 나를 좋아하고 내게 관심을 보인 사람들이 일거리를 주기 시작했다. 어떤 일이 올지는 전혀 알 수 없었다. 연극 공연에 배우로 서달라는 제안을 받은 적도 있었고, TV에서 나를 봤다는 70대 할아버지로부터 지방에 있는 공동묘지 홍보를 도와달라는 연락을 받기도 했다. 이렇게나 다양한 제안을 받을 수 있던 것은 모두 내가 과거에 얽매이지 않았던 덕분이다. 생각지도 못했던 뜻밖의 제안은 그 자체만으로도 가슴 떨리는 일이 아닐 수 없다.

'느낌'이 의미하는 것은?

지금 이 순간에도 미래에서는 여러 가지 정보가 흘러오고 있다. 우리는 일상 속에서 번뜩 무언가가 떠오르거나 왠지 모르게 끌리는 느낌이 드는 등 다양한 방법으로 미래로부터의 메시지를 받는다.

미래로부터 메시지를 받는 방법은 사람마다 다르다. 보거나 듣기도 하고, 그냥 끌리기도 하고, 기분이 좋아지거나 마음이 편안해지고, 온몸이 따스해지는가 하면 갑자기 의욕이 활활 타오를 수도 있다. 때로는 누군가의 글이나 말에 가슴이 요동칠지도 모른다.

이렇게 미래는 일상 속 곳곳의 다양한 순간 속에 메시지를 흩뿌리고 있다. 아마 이런 경험은 누구나 한 번쯤 해 보지 않았을까.

- 서점에 갈 때마다 눈에 들어오는 책이 있다
- 연예인이나 유명인 중에 유난히 관심 가는 사람이 있다
- 가도 가도 계속해서 또 가고 싶은 장소가 있다
- 의도하지 않았는데 자꾸만 우연히 마주치는 사람이 있다

또는 나도 모르게 유독 신경이 쓰인다거나 딱히 이렇다할 특별한 계기도 없이 무언가를 시작했던 적은 없는지 생각해 보자.

- 여러 번 초대받았지만, 관심이 가지 않아 계속 거절했던 강연회에 어쩌다 보니 가게 되었는데 그곳에서 특별한 사람을 만났다
- 사놓고 읽지 않았던 책을 우연히 꺼내서 읽었는데 그 책에 마침 내게 필요한 정보가 있었다
- 항상 지나치기만 하던 가게에 문득 들어갔더니 내가 찾던 상품이 있었다

오래전부터 관심은 있었는데 아직 행동에 옮기지는 못한 일이 있다면 지금부터라도 조금씩 시작해 보자. 일단 움직이기 시작하면 상상도 하지 못했던 새로운 세계가 펼쳐질 것이다. 또는 그 일을 계기로 또 다른 무언가가 시작될지도 모른다.

미래로부터의 메시지를 받으면 갑자기 온갖 아이디어가 샘솟고 원래 정해져 있기라도 했던 것처럼 저절로 몸이 움

직이면서 마치 내가 전혀 다른 사람이 된 것만 같은 기분이 들 수도 있다. 겁낼 필요 없다. 그 이상한 기분을 마음껏 즐기자.

별다른 이유 없이 그냥 끌리거나 누가 시킨 것도 아닌데 너무나 당연하게 어떤 일을 하게 되었다면 그것은 미래로부터의 메시지 때문일지도 모른다. 우연히 어떤 강연회 소식을 들었는데 꼭 가보고 싶다는 마음이 들거나, 서점에서 어떤 책 제목이 유난히 눈에 밟혀서 그냥 지나치지 못하고 살 수밖에 없던 적이 있는가? 지금 당장은 모를 수도 있지만, 훗날 돌이켜보면 이러한 행동은 반드시 미래와 연결되어 있다.

내게는 이런 일이 있었다. 프리랜서로 독립하기로 마음을 먹은 뒤 직장을 다니며 준비하던 때였다. 한 출판기념회 안내 메일을 보자마자 그야말로 '느낌이 와서' 바로 참가하겠다고 답장을 보냈다. 참가비는 1만 엔. 그때의 나로서는 큰맘 먹고 한 지출이었다.

이렇게 충동적으로 참가한 출판기념회에서 나는 마침 일주일 전에 너무나 감명 깊게 읽은 책의 저자와 만났고, 이후 그분은 내 인생의 고비마다 조언을 아끼지 않는 멘토가 되었다.

한번은 이런 일도 있었다. 프리랜서로 독립한 뒤 라디오 방송에 출연 요청을 받았는데, 하필 녹화 방송이었다. 나는 원래 생방송에만 출연하자는 주의였지만 그날따라 왠지 느낌이 와서 덥석 출연을 결정했다. 그 방송이 나간 후 라디오를 잘 들었다며 연락을 주신 분이 있었다. 작가이자 영상 제작자로 또 DJ로도 활동하는 유명 크리에이터의 매니저였는데, 우연히도 그 크리에이터는 내가 너무 좋아해서 한 번이라도 보는 게 소원이었던 사람이었다.

이 일이 절대 단순한 우연일 리 없다고 확신한 나는 바로 그가 머물고 있던 스페인으로 향했다. 다른 일 때문에 이틀 만에 돌아와야 하는 빠듯한 일정에 하필 런던 올림픽 기간과 겹쳐 비행기 표 가격도 어마어마하게 비쌌지만, 전혀 상관없었다. 그들은 이런 상황에서도 스페인까지 날아간 나를 격하게 환영해주었고 짧은 시간이었지만 여러 곳을 친절하게 안내하며 돈독한 관계를 맺었다.

이처럼 평소에는 절대 하지 않을 일인데 왠지 이상하게 느낌이 와서 행동한 바로 그 순간 싱크로니티Synchronity는 일어난다. 싱크로니티는 심리학자이자 신경정신과 의사인 융이 만든 개념으로 '의미 있는 우연의 일치'를 뜻한다. 예를 들어보면 우리 일상 속에서 일어나는 다음과 같은 일들이 바로 싱크로니티라 할 수 있다.

- 오랫동안 답을 찾지 못했던 문제가 친구가 우연히 던진 말 한마디로 해결되었다
- 연락이 끊긴 옛 친구를 떠올리며 그리워하고 있었는데 갑자기 그 친구에게서 연락이 왔다
- 아무 생각 없이 펼친 잡지에 내 고민을 해결해 줄 말이 실려 있었다
- 눈앞에서 지하철을 놓쳤는데 다음 열차에 만나고 싶던 친구가 타 있었다

이 책의 편집을 맡아준 편집자 사이토 류야와의 첫 만남도 신기한 싱크로니티 덕분이었다. 내가 본격적으로 이름을 알리게 된 것은 한 다큐멘터리 방송에 출연하게 되면서부터다. 그 방송은 매주 방영되는 것이었는데 사이토는 이상하게도 내가 나온 회차만 따로 녹화했다고 한다. 다음 주 방송 예고편에 내가 나오는 걸 보고서 왠지 모르게 '다음 주는 녹화를 해야겠다'라는 생각이 들었다나.

당시에 나는 얼굴도 이름도 전혀 알려지지 않은 무명의 초보 프리랜서에 불과했다. 더군다나 내가 나온 방송의 직전 회차 주인공은 유명한 여성밴드였고, 다음 회차는 요코즈나(스모에서 가장 높은 서열)였던 스모선수가 출연할 예정이었다. 그런데도 사이토는 내가 나온 방송만 콕 집어 녹화를 한 것이다.

방송이 나간 지 일주일이 지난 후, 작가인 혼다 켄이 초대한 다과회에서 사이토와 처음으로 만났다. 그는 아직 녹화한 방송을 보지 않은 상태였지만 나와의 만남이 퍽 인상 깊었다고 한다. 벌써 십 년이라는 시간이 지났지만 우리는 아직도 당시의 신기한 인연과 놀라운 만남을 생생하게 기억하고 있다.

싱크로니티는 미래와 이어지는 흐름 속에서 일어난다. 논리적으로는 도저히 설명할 수 없는 이어짐이 있다면 반드시 그 흐름에 몸을 맡기자. 마음의 소리가 'GO 사인'을 보낸다는 건 당신에게 멋진 싱크로니티가 찾아올 조짐이다. 그날따라 유난히 왠지 모를 느낌이 온다면 용기를 내서 부딪혀보자. 새로운 미래가 당신을 기다리고 있을 테니 말이다.

단순한 생각과 떠오름의 차이

갑자기 머릿속에 떠오른 단순한 생각과 앞서 살펴본 미래로부터의 메시지는 얼핏 비슷해 보일 수 있지만, 사실은 전혀 다르므로 잘 구별해야 한다.

노잉이 일어나는 순간에는 평소에 좀처럼 겪지 못하는 인상적인 경험을 하거나 확신에 차서 자연스럽게 몸이 움직인다. 내가 뭘 하기도 전에 이미 여러 일이 일사천리로 진행되어서 무얼 하든 술술 일이 풀리기 때문에 이것이 바로 노잉이라는 사실을 바로 알 수 있다.

물론 처음에는 일상 속에서 번뜩 무언가가 떠오르는 감각과 단순한 생각을 구별하기 어려울 수 있다. 오래전에 문득 커다란 연회장에서 이벤트를 개최해야겠다는 생각이 들었던 적이 있다. 수많은 사람 앞에서 이벤트를 주도하는 내 모습이 너무나 생생하게 그려진 나머지 당장이라도 무언가를 해야 할 것처럼 몸이 달아올랐고 며칠 동안은 주위 사람들에게 이벤트 얘기만 쉴 새 없이 떠들었다. 하지만 일주일쯤 지나자 '너무 귀찮은데', '괜히 일을 벌이는 건가'라는 생각이 스멀스멀 들기 시작했고 실제로도 여러 가지 문제들이 생겼다. 활활 타오르던 의욕은 순식간에 온데간데없이 사라졌다. 한 달이 지나자 내가 언제 그런 얘기를 했었냐는 듯 이벤트의 이자도 기억나지 않게 되었다.

노잉이 전달하는 미래로부터의 메시지와 그냥 생각의 가장 큰 차이점은 시간이 흘러도 잊히지 않는다는 점이다. 앞서 말한 이벤트처럼 고작 한 달 만에 의욕이 사라져버린다면 그것은 그저 단순한 생각에 불과하다.

또는 당시 자신의 감정 상태를 통해 판단할 수도 있다. 감정이 불안할 때 머릿속을 스치는 생각은 현재에 대한 불만이나 현실에서 도망치고 싶은 마음에서 비롯되었을 가능성이 크기 때문이다.

그렇다고 해서 무조건 무시하는 것도 답은 아니다. 단순한 생각에 불과하더라도 일단 행동에 옮기면 미래는 변하기 마련이다. 내 머릿속을 스쳐 지나간 이벤트는 끝내 소리소문 없이 사라졌지만, 그때 이벤트 이야기를 나눴던 사람 중 한 명과는 절친이 되어 업무는 물론 개인적으로도 함께 시간을 보내는 사이가 되었다. 그때 행동하지 않았더라면 이렇게 좋은 친구를 얻지 못했을 테니 움직인 보람은 충분히 있었던 셈이다.

점과 점을 잇는 힘

"미래를 내다보고 점과 점을 이을 수는 없습니다. 하지만 우리는 지금 하는 일이 인생의 어느 순간과 이어져 결실을 보리라는 사실을 믿어야 합니다."

- 스티브 잡스

애플의 창업자인 스티브 잡스는 주옥같은 연설을 여럿 남겼다. 그중에서도 스탠퍼드 대학 졸업식에서 했던 점과 점을 잇는 힘에 대한 이야기는 많은 사람의 가슴을 울렸다.

대학에서 큰 의미를 찾지 못했던 스티브 잡스는 대학을 중퇴하고 당시에 관심을 가졌던 캘리그라피 강의를 몰래 엿들었는데, 그때 배운 지식이 그가 애플을 창업한 후 매킨토시에 탑재된 문자 폰트를 설계하는 데에 엄청난 도움이 되었고 매킨토시는 아름다운 폰트를 가진 최초의 컴퓨터가 되었다.

코칭이라는 개념을 일본에 가장 먼저 소개하고 코치 양성기관인 CTI재팬을 창립한 에노모토 히데타케는 학창시절부터 줄곧 이상할 정도로 해외 유학에 끌렸다고 한다. 결

국 그는 회사를 그만두고 미국 샌프란시스코로 떠났다. 미국 대학에서 조직론을 공부하던 그는 우연히 세 명의 지인으로부터 코칭을 배워보면 어떠냐는 추천을 받았고 이내 코칭에 매료된다. 그는 자신의 저서 《진짜 나답게 살아가기本当の自分を生きる》(한국 미출간)를 통해 자신의 내면에서 들려오는 '진짜 목소리'에 귀를 기울이는 것이 얼마나 중요한지 설명하기도 했다.

무라카미 하루키는 어렸을 때부터 책을 좋아했고 특히 소설을 즐겨 읽었다. 일본에서 처음 서양 문물을 받아들인 항구 도시 고베에서 학창시절을 보낸 덕분에 고등학생 때부터 외국에서 출간된 책을 쉽게 접할 수 있었다고 한다. 하지만 자신이 훗날 소설가가 되리라고는 꿈에서조차 생각해 본 적 없다고 고백했다. 그저 좋아서 열중했던 일이 먼 훗날 자신의 인생에 커다란 선물을 가져다준 것이다. 자신도 모르는 사이에 이은 점과 점이 미래와 연결된 것이나 마찬가지다.

내게도 그저 좋아서 시작했던 점 하나가 미래로 이어진 경험이 있다. 중학생 때 갑자기 무슨 바람이 불었는지 신문 만들기에 푹 빠졌다. 집이나 학교처럼 주로 내 주변 반경 5M 이내에서 일어난 일들을 기사 형식으로 써서 정리한 것에 지나지 않았지만, 가족들과 시골에 계시던 할아버지는 내가 만든 신문을 재밌게 읽어주셨다. 덕분에 나는 신문에 쓸 기삿거리를 찾으려고 항상 주변에 무슨 일이 일어나는지 안테나를 바짝 세우고 다니는 버릇이 생겼다.

하루는 같은 반 짝꿍이 추리소설을 읽고 있기에 그 책을 빌려 읽고 감상을 써서 신문에 실었다. 이 기사는 추리소설을 좋아하던 엄마에게 특히 좋은 평가를 얻었는데, 생각지도 못한 수확도 함께 따라왔다. 이 일을 계기로 내가 추리소설에 푹 빠져버렸고 읽는 것만으로는 부족해서 직접 소설을 쓰기 시작한 것이다.

나는 당시에 같은 학원에 다니던 세 명의 친구들과 의기투합하여 본격적으로 창작활동을 시작했다. 함께 모여서 주인공과 등장인물을 정한 다음 소설, 만화, 일러스트 등 각자 자신 있는 분야를 맡아 작품을 만들기로 한 것이다. 내가 고른 분야는 당연히 추리소설이었다. 나는 시간 가는 줄도 모르고 무려 노트 세 권 분량에 달하는 장편 소설을 완성했고 친구들과 돌려 읽기도 했다. 그로부터 몇 년 후에는 그때 소설을 읽었던 친구의 부탁으로 친구가 다니던 고등

학교 축제에서 상영할 영화 시나리오를 쓰기도 했다.

돌이켜 보면 그때 열심히 신문을 만들고 소설을 썼던 경험이 어른이 되어 책을 쓰거나 다양한 미디어를 통해 메시지를 전달하고 강의나 워크숍을 하는 일들과 모두 이어지고 있다는 생각이 든다.

미래에 도움이 될지 안 될지, 언젠가 내게 이익이 될지 안 될지를 따지지 않고 그저 당시에 마냥 즐겁고 좋아서 푹 빠져 했던 일이 미래의 나와 이어진 것이다.

누구에게나 안테나가 있다

노잉을 인지하고 언제든 내게도 일어날 수 있다는 사실을 알고 나면 노잉이 일어날 확률은 훨씬 커진다.

'배니스터 효과'에 대해 들어본 적 있는가? 과거 육상선수들에게 1마일(1.6km)을 4분 이내에 주파하는 것은 수십 년 동안 깨지지 않는 마의 기록이었다. 그런데 1954년, 영국의 로저 배니스터 선수가 처음으로 4분의 벽을 깨트리는 업적을 달성하자 그 후 3년 동안 무려 15명이나 되는 선수가

1마일을 3분대에 주파하는 기록을 세웠다.

이처럼 배니스터 효과는 불가능하다고 여겨졌던 일도 일단 누군가 성공을 거둔 다음에는 머릿속에 '할 수 있다'라는 인식이 생기면서 성공하는 사람이 더 많아진다는 사실을 알려준다.

양자물리학에서도 소립자는 관측되기 전까지는 특정 위치에 존재하지 않는다. 어떤 형태로든 사람들에 의해 관측되어야만 위치가 특정된다.

노잉도 마찬가지다. 우리가 노잉을 인지해야만 비로소 노잉이 일어난다. **노잉으로 인해 새롭게 열리는 세계가 있다는 사실을 인지하는 것. 그것이야말로 노잉을 일으키는 안테나다.** 안테나가 있어야만 미래로부터의 메시지가 왔을 때 바로 알아차릴 수 있다.

우리는 모두 안테나를 가지고 있다. 하지만 안타깝게도 녹슬어 제 기능을 못 하거나 자신에게 안테나가 있는지도 모르는 경우가 태반이다. 왜 그럴까. 어린 시절을 떠올려보자. 하고 싶은 일에 대해 말했을 때 부모 혹은 다른 어른들의 반대에 부딪혀 시도조차 하지 못했거나 쓸데없는 소리 한다며 혼난 경험이 있을 것이다. 이러한 경험이 반복되다 보면 마음이 이끄는 대로 행동하기를 주저하게 된다.

하고 싶은 일이 있어도 마음대로 하지 못하고 신경 쓰이는 일이 있어도 애써 머릿속에서 지우려고만 하면 직감은 절대 찾아오지 않는다. 기껏 안테나를 갖고 있어도 전혀 써먹지 못하다니 정말 아까울 따름이다.

당신에게도 다음과 같은 안타까운 일들이 있었던 건 아닌지 생각해 보자.

• 예전부터 이탈리아 건축물에 관심이 많아서 꼭 한 번 직접 가서 보는 게 소원이었다. 어느 날 오랜만에 친구를 만났는데 여동생이 이탈리아에서 유학 중이라며 함께 놀러 가지 않겠냐는 말을 들었다. 솔깃한 제안이었고 가고 싶은 마음은 굴뚝같았지만, 돈도 별로 없는 데다가 회사에 휴가를 오랫동안 내야 하는 것도 부담스러워 거절했다.

• 해가 갈수록 살이 쪄서 운동을 해야 하나 생각하고 있었는데, 마침 역 앞에서 피트니스 센터 전단을 나눠주고 있었다. 그리고 보니 회사 동료도 피트니스 센터에

다니기 시작했다고 했던 것 같다. 출퇴근길에 센터 앞을 지나가는데 안에서 탄탄하고 늘씬한 사람들이 나오는 걸 보고 나도 저렇게 되고 싶다는 생각이 들었다. 하지만 비싼 돈 내고 등록해봤자 얼마 다니지 못하고 그만둘 것 같아 결국 차일피일 미루고만 있다.

• 소꿉친구가 직장을 다니면서 작은 극단을 설립해 운영 중이다. 극단 일을 조금씩 도와주다가 작은 배역을 맡아보지 않겠냐는 권유를 받았다. 사실 어렸을 때 꿈이 배우였기도 해서 그 말을 듣고 너무나 기뻤다. 하지만 연기 경험은 물론이고 연습조차 해 본 적이 없어서 도저히 용기가 나질 않아 거절하고 말았다.

노잉은 스스로에 대한 신뢰를 바탕으로 성립된다. 당신이라면 몇 번이나 같이 밥을 먹자고 말해도 '시간이 없어서', '돈이 없어서'라며 온갖 이유로 거절만 하는 사람에게 또 말을 꺼내고 싶겠는가? 이와 마찬가지로 모처럼 직감이 찾아오거나 번뜩 무언가가 떠오른들 내가 답하지 않으면 미래로부터의 메시지는 영영 받을 수 없기 마련이다.

일상생활 속에서 왠지 느낌이 오거나, 나도 모르게 신경이 쓰이는 감각을 대수롭지 않게 넘기지 말고 반드시 행동으로 옮겨 버릇하자. 그렇게 하다 보면 자신과의 신뢰 관계도 조금씩 두터워질 것이다.

이제까지 앞으로 나아가야 할 길을 알려주는 노잉이라는 현상이 일어난다는 사실, 그리고 미래로부터의 메시지는 지금 바로 이 순간에도 우리에게 전달되고 있다는 사실을 이야기했다. 지금부터는 나 자신을 돌이켜보며 혹시 내게도 노잉의 순간이 있었는지 생각해 보자.

내게 찾아왔던 노잉의 순간

• 특별한 이유도 없이 푹 빠져서 했던 일이 있다

  -

  -

  -

  -

• 왠지 신경 쓰이는 사람, 물건, 정보가 있다

  -

  -

  -

  -

• 신기할 정도로 일이 술술 풀리고 인연이 이어지는 경험을 한 적이 있다

  -

  -

  -

  -

2장

미래가
이끄는
삶

"인생은 항상 준비하는 시간이다. 언제 어떤 일이 일어나도 당황하지 않도록 우리는 매일 노잉을 맞이하기 위한 준비를 하고 있는 셈이다."

미래가 보인다는 헛소리에 대하여

이 장에서는 내 이야기를 해보려고 한다. 스티브 잡스나 무라카미 하루키의 이야기가 다른 세계의 일화 같다면, 평범한 내가 노잉을 경험하고 변화한 이야기는 어떤가. 누구에게나 일어날 수 있는 일이라는 것을 체감할 수 있을 것이다.

나는 프리랜서다. 회사에 소속되지 않은 채 여러 팀과 함께 일하며, 나의 경험을 공유함으로써 새로운 근로 방식을 알리는 데 힘쓰고 있다. 앞서 언급한 기라성 같은 대가들과 마찬가지로 나 역시 지금처럼 일하기 훨씬 전부터 내가 이 일을 하게 되리라는 사실을 알고 있었다. 마치 내가 할 일이 예전부터 정해져 있던 것처럼 말이다.

회사에 다니던 시절에는 나도 남들처럼 매일 똑같은 시간에 출근해서 일하고 정해진 시간이 되면 우르르 몰려나가 점심을 먹는 일상을 보냈다. 회사원의 삶이 싫다고 하는 사람은 많아도 이러한 시스템이 이상하다고 여기는 사람은 별로 없었는데, 나는 그것이 너무 어색하게 느껴졌다. 머릿속에는 항상 '이렇게 일하는 건 아무리 생각해도 이상해.

전혀 인간답지 않아'라는 생각이 맴돌았다.

대학생 때 교환학생으로 갔던 네덜란드에서 일을 나누어 고용을 창출하는 '워크 셰어링'을 접한 이후 자유로운 삶의 방식이 무엇인지에 대해 오래 고민했기 때문일지도 모른다. 편안한 장소에서 좋아하는 사람과 일하고 싶을 때 일하는 것, 정해진 출퇴근 시간이나 점심시간을 신경 쓸 필요 없이 내가 하고 싶을 때 하고 싶은 만큼만 일하는 것. 이렇게 일하고 살아가는 것이 훨씬 자연스럽게 느껴졌다.

실제로 미래의 내 모습을 미리 보기도 했다. 대학생 때 처음으로 본 미래의 나는 도심 속 고층 아파트에서 노트북을 두드리며 열심히 일하고 있었다. 프리랜서가 된 후에는 내가 아무런 제약 없이 자유롭게 일하는 방식을 많은 사람에게 전파하며 '일하는 방식의 혁명'을 일으키는 모습이 선명하게 보였다. 이 이야기는 뒤에서 더 자세하게 소개하겠다.

지금 내가 하는 이야기가 어이없게 느껴지거나 황당무계하다고 생각하는 사람도 많을 것이다. 그렇지만 예기치 못한 순간에 자신의 미래 모습을 봤다고 말하는 사람들은 의외로 우리 주위에 많이 존재한다. 혹시 결혼할 상대와 처음 만났을 때 '전기가 통한 것 같은 느낌'이나 '이 사람과 결혼할 거라는 확신'이 느껴졌다는 말을 들어본 적 없는가?

실제로 내 친구 중에는 회사에서 지방으로 발령받고 낯선 도시로 첫 출근을 하던 날, 역 앞에서 횡단보도를 건너다가 건너편에서 걸어오는 한 여성을 보고 '난 이 여자와 결혼하게 될 거야!'라고 직감했다고 한다. 당시에는 당황한 나머지 말도 걸지 못한 채 지나쳐버렸지만 놀랍게도 일 년 후 그 여성이 친구가 일하던 회사에 입사했고 두 사람은 진짜로 결혼에 골인했다.

물론 이렇게 드라마에서 가능할 법한 일들만 있는 건 아니다. 누군가는 평소처럼 길을 걷다가, 혹은 회사에서 일하다 말고 문득 '이번 기획은 엄청난 반응을 얻을 거야', '이 상품은 히트상품이 될 거야!', '이 프로젝트는 분명히 성공해'처럼 딱히 이유를 설명할 수도 없고 이렇다 할 근거도 없지만, 성공을 확신하기도 한다. 그리고 그 확신대로 실제로 성공을 거둔 사람은 우리의 예상보다 훨씬 많다.

미래가 이끄는 대로

어쩌면 우리는 자신의 미래 모습이나 나아가야 할 길을 미리 볼 수 있는지도 모른다. 실제로 나는 10대 시절부터 종종 미래로부터의 메시지를 받거나 마치 모든 일이 이미 정해져 있는 듯한 느낌을 받곤 했다.

대학 입학시험을 준비할 때의 일이다. 일생일대의 시험 당일, 나는 시험장을 잘못 찾아가는 어처구니없는 실수를 저지르는 바람에 20분이나 늦게 시험장에 도착했다. 원래대로라면 시험조차 치르지 못하는 것이 당연했지만 여러 우연이 겹친 덕분에 간신히 시험장에 들어갔고 예상 문제로 점찍어 두었던 문제들이 그대로 출제되는 행운까지 얻어걸리면서 그 대학에 합격할 수 있었다(일본은 우리나라 수능에 해당하는 시험 외에 대학별로 입학시험이 따로 있다_역자 주).

나는 어렸을 때부터 어떤 일이든 술술 풀리는 일을 하는 것이 맞다고 생각했다. 그래서 이번에도 '시험에 떨어져도 이상하지 않을 상황이었는데도 기적적으로 합격한' 대학이야말로 내가 가야 할 곳임을 믿어 의심치 않았다. 사실 다른 대학에도 합격한 데다가 오히려 그쪽이 훨씬 더 관심 있던 분야이기는 했지만 말이다.

그 후 교환학생으로 가게 된 네덜란드에서 워크 셰어링을 접하고 자유로운 일하는 방식에 눈뜨게 된 덕분에, 시간과 장소에 구애받지 않고 일하는 노마드 워크를 실천하기에 이르렀다. 당시에 네덜란드로 교환 유학을 갈 수 있는 대학이 손에 꼽을 만큼 적었던 것을 생각하면 내가 입학시험을 무사히 치를 수 있던 것도 어쩌면 네덜란드가 나를 이끌어 주었기 때문일지도 모르겠다.

대학 졸업 후 취업을 할 때도 마찬가지였다. 한 출판사의 입사원서를 보자마자 이상한 끌림이 느껴졌고 무슨 자신감인지 '이 회사에는 합격할 수 있을 것 같다'는 생각이 들었다. 심지어 나는 그때 자그마치 80곳이 넘는 회사에서 낙방의 고배를 마시고 있었는데도 불구하고 말이다!

대학 시절 배낭 하나만 메고 훌쩍 해외여행을 떠나기도 했고 네덜란드에서 공부했던 적도 있던 나는 스스로 외국 문화에 익숙하고 외국인들과의 커뮤니케이션 능력은 물론 감각도 뛰어나다고 자부했다. 이런 점을 잘 살리면 취업에도 유리할 것이라 믿었는데 막상 뚜껑을 열어보니 그런 건 전혀 도움이 되지 않았다. 불합격 연락을 받을 때마다 스스로 쓸모없는 사람이라는 생각에 휩싸일 정도로 막막한 상황이었다. 그런 내게 운명처럼 느껴지는 회사는 처음이었다. 심지어 그곳은 이름만 들으면 누구나 알만한 출판사이자 출판업계에 취업하고자 하는 학생들이 가장 가고 싶어 하는 대형 출판사였다.

객관적으로 보면 감히 내가 엄두를 낼 만한 곳은 아니었지만, 내 직감은 틀리지 않았다. 다른 회사들과 달리 순탄하게 모든 채용 과정을 통과하고 마침내 최종합격까지 하게된 것이다. 나는 이렇게 출판사에서 내 첫 직장생활을 시작했다.

결과적으로 대형 출판사에서 일한 경험은 프리랜서가 된후에도 사람들이 나를 신뢰하게 해주는 경력이 되었고 작가로 활동하는 지금도 그때 일하며 만난 사람들에게 많은 도움을 받고 있다.

이 모든 것이 다 우연일까? 그저 운이 좋아서 벌어진 일에 의미부여를 한다고 생각할 수도 있고, 현재 시점에서 과거의 일을 끼워 맞춘다고 생각할 수도 있겠지만, 나는 일련의 사건들이 '미래가 이끄는 대로' 일어났다고 생각한다.

미래기원설에 대해 들어본 적 있는가? 사람들은 흔히 과거에 일어난 일 속에 원인이 있고 그 결과로서 미래가 도출된다고 생각한다. 그런데 이와 반대로 이미 정해져 있는 미래를 위해 과거가 존재하는 것이라는 생각, 즉 미래가 원인이고 과거가 그 결과라는 생각이 바로 미래기원설이다.

예를 들어보자. 홀로 아이를 키우는 여성이 직장을 구하려다가 번번이 실패하자 자신의 어려웠던 구직활동 경험을 만화로 그려 인터넷에 올렸다. 얼마 후 커뮤니티를 중심으로 만화가 인기를 얻게 되면서 일약 유명 만화가가 되었다.

이 이야기를 들으면 아마 보통은 이렇게 생각할 것이다. 직장 구하기가 어려워서…그 경험을 만화로 그려 인터넷에 올렸다…유명 만화가가 되었다. 이는 과거의 원인으로 인해 결과(미래)가 생겨나는 과거기원설에 따른 해석이라 할 수 있다. 반면 미래기원설에 따라 해석하면 이렇게 된다. 그 여성은 유명 만화가가 되기 위해…만화를 그려서 인터넷에 올렸다. 그 만화 소재를 얻기 위해…구직활동이 어려웠다.

이러한 관점에서 보면 나는 네덜란드로 유학을 떠나 워크 셰어링이라는 새로운 근로 문화를 접하기 위해 여러 일이 있었음에도 대학에 합격했고, 직급에 구애받지 않고 자유롭게 일하는 프리랜서가 되기 위해 회사에 취직해 경험을 쌓은 것이 된다.

프리랜서의 시작

딱 서른 살이 되었을 때 나는 다니던 출판사를 그만두고 독립했다. 물론 프리랜서가 된 직후에는 일도 전혀 없었고 어떻게 해야 일을 받을 수 있는지도 몰라서 점점 줄어가는 통장 잔액을 바라보며 매일 한숨만 쉬었다. 앞길이 막막한 채로 반년을 보내고 나니 이대로는 안 되겠다는 위기감이 들었고 그때 문득 '이거라면 할 수 있겠는데?' 하고 떠올린 것이 바로 SNS였다.

회사에 다닐 때부터 해오던 트위터는 이미 어느 정도 팔로워가 있는 상태였고 예전에 썼던 블로그가 카테고리별 조회수 Top 10에 오른 적도 있었기 때문에 어느 정도는 자신감이 있었다. 곧바로 블로그와 트위터, 페이스북까지 총동원하여 글을 쓰기 시작했다. 처음에는 잡다한 일상 이야기나 생각 등을 주로 올렸지만, 점차 SNS를 일에 활용하기 위해 조금 더 치밀한 전략을 세웠다.

이윽고 기회가 찾아왔다. 프리랜서 기자로 활동하는 분과 함께 작은 이벤트를 개최하고 그 결과를 정리해서 올린 블로그 기사가 유명 저널리스트인 사사키 도시오의 트위터에 소개된 것이다. 딱 한 번 소개되었을 뿐이었는데도 그 영향력은 엄청나서 단 몇 시간 만에 트위터 계정의 팔로워 수가 800명 넘게 늘어날 정도였다. 드디어 기회를 잡았다고 생각한 나는 사사키가 트위터에서 소개할 법한 내용을 골라 블로그에 쓰기 시작했다. 전략이 먹혀들었는지 그 후에도 내가 쓴 블로그 기사가 몇 번이나 소개되었고, 그때마다 나는 각종 미디어 관계자를 비롯한 다양한 사람들에게 눈도장을 찍을 수 있었다.

나중에는 사사키가 주체적인 삶을 사는 청년들과 직접 이야기를 나누는 이벤트에도 참가했다. 그 이벤트는 동영상 공유 서비스에서 3만 회가 넘는 조회수를 기록하며 큰 화제를 불러 모았다. 덕분에 이 이벤트를 기획한 모 출판사의 편집장이 NHK 방송사의 프로듀서에게 나를 소개해서 NHK에서 방영하는 토론 프로그램에 출연하는 기회도 얻었다. 프로그램에 출연하던 날, 방송국 직원이 내게 "직업은 뭐라고 할까요?"라고 물었다. "프리랜서라고 해주세요"라고 대답하자 직원은 "그건 직업이 아니잖아요?"라고 되물었다. 당시에도 프리랜서 기자나 프리랜서 엔지니어 같은 직업은 많았지만 프리랜서 그 자체를 직업으로 삼는 사람은 없었기 때문이다. 하지만 나는 "아니요, 프리랜서도 하나의 직업이 될 거예요"라고 말했고 결국 프리랜서로서 방송에 출연했다. 그래서 어떤 이들은 나를 두고 '프리랜서라는 직업으로 NHK에 처음 출연한 사람'이라고 부르기도 한다. 그때로부터 10년이 지난 지금은 나 외에도 많은 사람이 프리랜서 자체로 활약하고 있다.

인생을 뒤바꾼 두 번의 노잉

NHK 토론 프로그램 녹화가 끝나자마자 나는 배낭을 메고 프랑스와 네덜란드로 여행을 떠났다. 그때만 해도 아무 때나 훌쩍 여행을 떠날 수 있을 만큼 시간이 많았다. 그리고 교환학생으로 지냈던 네덜란드에 들렀을 때 기묘한 경험을 했다.

네덜란드에서 다니던 대학 캠퍼스 벤치에 앉아 옛 추억에 잠겨 있던 때였다. 멍하니 눈앞의 풍경을 바라보고 있던 차에 갑자기 그 풍경 위로 낯익은 얼굴의 친구 두 명이 나타났다. 꼭 꿈이라도 꾸는 것 같은 느낌이었다. 친구들은 내게 다가와 "미후유, 너는 앞으로 일본에 새로운 근로 문화를 알리게 될 거야"라고 말하더니 "조만간 아주 유명한 다큐멘터리 프로그램에 나가게 될 텐데 그 방송을 계기로 많은 사람이 너를 주목하게 될 거야"라고 말하는 것이 아닌가. 퍼뜩 정신을 차리고 보니 나는 여전히 조용한 대학 캠퍼스 벤치에 홀로 앉아 있었다. 가슴 속 깊은 곳에서 느껴지는 열기만이 방금까지 보였던 장면들의 여운을 고스란히 간직한 채였다.

이때 보았던 기묘한 비전은 네덜란드에서 일본으로 돌아온 지 며칠 만에 진짜 현실이 되었다. 친구가 말했던 대로 한 유명 다큐멘터리 프로그램의 감독으로부터 연락이 온 것이다. 바로 만나 이야기를 나누었고, 다음 날 "출연이 결정되었습니다. 내일부터 촬영에 들어가도록 하겠습니다"라는 전화를 받았다. 너무나 갑작스럽게 진행되는 일들이 꿈처럼 느껴졌지만, 네덜란드에서 미래로부터의 메시지를 받았기 때문인지 '정말 내가 출연해도 되는 걸까'라는 불안이나 두려움은 그리 크지 않았다. 오히려 내게 주어진 사명을 다하겠다는 마음가짐으로 첫 촬영에 응했다.

프로그램이 방송되자 프리랜서와 디지털 노마드 같은 새로운 근로 방식이 큰 화제가 되었고 내게도 TV나 라디오 출연을 비롯해 잡지 취재, 강연과 집필 의뢰 등의 일거리가 밀려들기 시작했다. 여유롭던 일정이 어느새 빼곡하게 채워졌고 하루에도 여러 개의 일정을 해치워야 하는 날들이 이어졌다.

사실 내가 미래로부터의 비전을 본 것은 네덜란드에서가 처음이 아니었다. 대학에 입학하고 얼마 되지 않았을 때였다. 캠퍼스에서 친구와 수다를 떨고 있었는데 갑자기 대화가 끊긴 순간 눈앞에 비전이 재생되기 시작했다. 뉴욕이 연상되는 대도시의 풍경 속 스카이라인이 펼쳐지는 가운데 유난히 빛나는 한 세련된 고층 아파트 방에서 키보드를 두드리는 내가 보였다. 그때만 해도 노트북을 많이 쓰지 않던 시절이라 컴퓨터는 대부분 데스크톱 형태였고 나도 개인 노트북이 없었다. 그런데 그 장면 속 내가 쓰던 컴퓨터는 요즘 많이 쓰는 아주 가벼운 노트북에 가까운 형태였고,

유심히 살펴보니 내 얼굴도 40대 정도로 보였다.

당시 나는 노마드 워커라는 말조차 알지 못했고 훗날 어떤 일을 하고 싶다는 뚜렷한 목표도 없었다. 하지만 그 장면을 보자마자 '아, 나는 언젠가 저렇게 되겠구나'라는 확신이 들었다. '컴퓨터 하나만 들고 다른 나라에서 일하다니 정말 멋지잖아!'라며 어엿한 커리어 우먼처럼 보이는 내 모습에 감탄하기도 했다. 내 인생은 그때 보았던 비전에 차근차근 가까워지고 있다.

꿈을 이룬다는 것

다큐멘터리 출연 이후 나는 '새로운 시대, 새로운 근로 방식의 선구자'로 순식간에 유명해진 것과 더불어 트위터 팔로워 수가 5만 명을 넘기면서 'SNS의 여왕'이라는 별명까지 얻었다. 페이스북은 친구 신청자가 한꺼번에 너무 많이 몰리는 바람에 계정을 사용할 수 없게 되었을 정도였다.

여러 TV 프로그램에 패널로 출연했고 대학으로부터 강의를 맡아달라는 요청도 받았다. 처음으로 쓴 책이 출간하자마자 베스트셀러가 돼서 사인회를 열었더니 2시간 동안 꼬박 사인만 해야 했을 정도로 긴 행렬이 늘어서기도 했다. 그야말로 나를 둘러싼 환경이 하룻밤 사이에 완전히 뒤바뀐 것이다. 눈 돌아갈 만큼 빠르게 바뀌는 주변 속도에 나는 그저 따라가기에만 급급했다.

이건 마치 거대한 교차로 한 가운데에 나 혼자 덜렁 서 있는 기분이었다. 나는 가만히 있는데 사방에서 몰려든 사람들이 제각각 멋대로 떠들면서 나를 스쳐 지나가고 신호는 계속 바뀌고, 그러는 사이 내가 하고 싶었던 일들은 하나씩 하나씩 현실이 되었다.

이렇게 크게 주목받고 세상 사람들에게 내 메시지를 전달할 수 있게 된 것은 분명 내가 원하던 일이었고 꿈에 그리던 세계였다. 그러나 막상 내가 바라던 세계 속에 들어와 보니 이곳은 절대 행복하기만 한 곳이 아니었다. 하루하루 충실했고 그만큼 성취감도 있었지만, 너무 갑작스레 환경이 변한 탓인지 어마어마하게 스트레스가 쌓였다.

TV에 출연할 때마다 '내가 말을 제대로 한 걸까, 혹시 말을 잘못했으면 어떡하지' 하는 걱정 때문에 불안했고, 감정을 조절하지 못해서 애먼 사람에게 짜증을 부리기도 했다.

매일 살얼음판을 걷는 느낌이었다.

그럼에도 불구하고 어떻게든 버틸 수 있었던 건 주위 사람들이 도와준 덕도 컸지만, 내가 이러한 환경에 처하리라는 사실을 어렴풋이 알고 있었기 때문이다. 도저히 감당할 수 없을 것 같은 일들이 한꺼번에 닥치고 한 번도 겪어 본 적 없는 일들에 당황하는 와중에도 한편으로는 이 모든 일을 냉정하게 받아들이고 있었다. 어떤 일이 일어나도 '정해진 길을 걷고 있을 뿐'이라는 생각이었다.

또 이러한 상황이 결코 길게 이어지지 않으리라는 사실도 알았다. 교차로 한가운데 서 있는 내게 몰려든 사람들이 신호가 바뀌면 떠나가듯이 내게 주어진 역할이 끝나면 지금의 상황도 지나갈 것이 분명했다. 이것도 이미 알고 있던 미래 중 하나일 뿐이었다.

그로부터 몇 년 후, 한때 SNS의 여왕이라고 불렸던 나는 모든 SNS를 탈퇴하고 TV는 물론 인터넷조차 멀리하며 각종 정보와 거리를 두고 살기 시작했다.

이렇게 생활한 지도 벌써 3년 차다. 사람과 정보가 끊임없이 몰려오던 삶을 살던 내게 이 시간은 마치 폭풍이 지나간 후에 찾아오는 고요함처럼 조용하고 충만한 한때다. 또한 인생의 다음 단계로 넘어가기 위한 소중한 시간이기도 하다. 평온한 일상 속에서 나를 재정비하고 에너지를 충전하는 동안 내가 나아가야 할 '다음 미래'가 또다시 보였기 때문이다.

인생의 4가지 단계

인생에는 4가지 단계가 있다. 우리는 이 4가지 단계에서 각각 주어진 과제들을 해결해 나가면서 깨달음을 얻고 성장해 나간다.

① 욕망의 단계
② 소망의 단계
③ 공헌의 단계
④ 사명의 단계

'욕망의 단계'는 먹고 싶으니까 먹고, 가고 싶으니까 가는 그야말로 내가 하고 싶은 일을 함으로써 마음이 충족되는 단계이다. '맛있는 가게가 있으니까 그곳에 가서 맛있는 음식을 먹고 싶어'라고 생각하는, 다시 말해 즉각적인 욕구의 단계라고 할 수 있다. 이것이 나쁘다는 말이 아니다. 인류가 지금과 같은 고도의 문명을 이룰 수 있었던 것은 모두 욕망 덕분이다. 인생도 마찬가지다. 부자가 되고 싶다, 맛있는 음식을 먹고 싶다, 좋은 집에 살고 싶다 같은 욕망은 인생의 질을 높이는 커다란 원동력이 된다. 라이벌에게 이기고 싶다, 많은 사람에게 주목받고 싶다, 저 사람에게 복수하고 싶다 같은 욕심과 승부욕, 명예욕 등도 이 단계에 포함된다.

'소망의 단계'부터는 시야가 넓어지면서 마음에서부터 하고 싶은 일이 생긴다. 불평불만이나 분노에서 시작된 욕망이 충족되고 나면 한발 더 나아가 행동하고자 하는 소망이 생기는 것이다. '맛있는 가게가 있으니까 다른 사람에게 소개하고 싶다'라고 생각하는 단계라고 보면 된다. 여전히나 자신이 주체이기는 하지만 다른 사람을 염두에 둔 소망이 더해진다.

'공헌의 단계'는 타인을 생각하고 행동하기 시작한다. 이 단계에서는 '내가 자주 가는 가게가 있는데 코로나 때문에

손님이 줄어 힘들어하고 있으니 SNS로 홍보해야지'와 같은 마음을 갖게 된다. 이처럼 나 자신을 위해서 하는 일의 비중이 줄어들고 다른 사람을 위해 하는 일의 비중이 커지는 단계가 바로 공헌의 단계이다. 이 단계에 들어서기 위해서는 욕망의 단계에서 주어진 과제를 제대로 마쳐야만 한다. 자신이 하고 싶은 일조차 하지 못한 사람이 다른 사람으로부터 요구받은 일이나 역할을 할 수 있을 리 없기 때문이다. 타인을 위한 일을 통해 공헌 정신이 생겨나는 단계이기도 하다.

'사명의 단계'는 어떤 일에 대한 책임을 느끼는 단계이다. 이 단계가 되면 '문을 닫는 가게가 늘어나고 있다. 내 외국어 실력과 프로그래밍 기술을 살려 일본 음식의 매력을 알리는 홈페이지를 만들어서 외국인 관광객을 유치해야지'와 같이 사명감이라고도 할 수 있는 감정을 바탕으로 움직인다. 또 '나는 이 일을 하기 위해 태어났다, 내 인생을 이 일에 모두 걸겠다'라는 확신과 각오가 생겨난다. 다른 사람으로부터 어떤 평가를 받을지, 돈을 얼마나 벌 수 있을지 등은 상관없이 그저 '이 일을 하겠다'라는 확고한 의지만이 존재한다. 타인을 위한 공헌과 동시에 많은 사람에게 응원과 격려를 받으며 자기실현을 할 수 있는 단계이기도 하다.

노잉은 이 4가지 단계 중 어느 단계에서든 나타날 수 있다. 다만, 어떤 단계든 본인에게 매우 중요한 시기에 나타난다는 점만은 동일하다.

나는 노잉을 접한 후 사명의 단계에 들어설 수 있었고 그 덕분에 갑작스러운 변화로 인한 스트레스나 다른 사람들의 비난에도 굴하지 않고 나아갈 수 있었다.

4가지 단계는 각각의 경계가 분명하게 나누어져 있지 않고 마치 그러데이션 상태처럼 서로 이어져 있다. 그러므로 차근차근 올라가는 것이 무엇보다 중요하다.

어떤 이들은 욕망과 소망처럼 자기 생각을 중요시하는 단계를 소홀히 하고 가족 또는 사회를 위한답시고 공헌, 사명의 단계에만 열중하기도 한다. 타인을 위해 헌신하는 모습은 아름다워 보이기 마련이다. 하지만 자기 자신의 욕망과 소망이 채워지기도 전에 다른 누군가를 행복하게 하려한다면 결코 오래 가지 못한다. 뿌듯함은 느낄 수 있겠지만 내심 바라던 감사와 칭찬을 받지 못하면 오히려 강한 불만과 분노를 느끼게 될지도 모른다. 자신의 욕구에 솔직해지고 바라는 바를 이루는 일이 먼저다. 스스로를 사랑하는 마음이 바탕이 되어야만 공헌의 단계, 그리고 사명의 단계까지 나아갈 수 있다.

공헌과 사명이라고 하면 사회나 세계를 위해 무언가 거창한 일을 해야만 한다고 생각하는 사람도 있다. 하지만 공헌과 사명의 대상은 사람에 따라 다르다. 가족이나 주변 사람들과 모여 웃고 떠들며 오늘도 좋은 하루였다고 이야기하는 것이 누군가에게는 공헌과 사명이 될 수도 있다. 언젠가 노잉이 찾아올 그날을 위해 욕망의 단계부터 차근차근 주어진 과제를 해결하면서 자신을 충족시키고 편안한 마음 상태를 유지하자.

'행복한 성공'을 위한 필수 공식

어떤 일을 달성하기 위해서는 에너지가 필요하다. '무언가 하고 싶다, 손에 넣고 싶다'라는 간절한 욕망, 때로는 후회나 분노 같은 부정적인 감정에서 비롯한 강렬한 생각, '반드시 바꾸고 싶다, 꼭 이루고 말겠다'는 소망과 의지, 그리고 이를 바탕으로 한 행동력이 에너지의 양을 증가시키는 원천이다. 에너지의 '양'은 앞서 소개한 인생의 4가지 단계 중 욕망의 단계, 소망의 단계와 연관되어 있다.

TV나 유튜브 등에서 인기 있는 연예인이나 크리에이터를 떠올려 보자. 많은 사람이 그들을 보며 '아우라가 남달라, 카리스마가 느껴져, 생기가 넘쳐 보여'라고 말한다. 아우라, 카리스마, 생기는 모두 에너지를 다르게 부르는 표현이다. 에너지의 양이 많은 사람을 보면 자연스럽게 그 에너지가 느껴지기 때문에 이런 표현을 하게 되는 것이다.

에너지의 양은 성공을 위한 필수조건이나 다름없다. 욕망의 크기, 노력의 양, 신념의 정도가 클수록 에너지의 양도 많아지고 아무리 어려운 상황이 닥쳐도 극복할 수 있다. 그러나 에너지가 많다고 무조건 성공할 수 있는 것은 아니다. 에너지의 양만큼이나 중요한 것이 바로 에너지의 '질'이다. 에너지의 질은 4가지 단계 중 공헌의 단계, 사명의 단계와 연관되어 있다.

에너지의 질은 높고 낮음으로 구분되며 감정이나 마음의 상태와 밀접한 관련이 있다. 다시 말해 긍정적인 마음 상태에서는 에너지의 질이 높고, 부정적인 상태라면 질이 낮다고 할 수 있다.

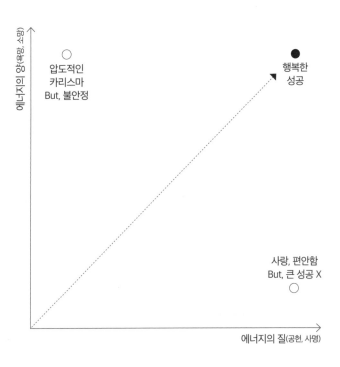

에너지의 양(행복감, 소득)

압도적인
카리스마
But, 불안정

행복한
성공

사랑, 편안함
But, 큰 성공 X

에너지의 질(공헌, 사명)

   사랑과 기쁨이 넘치는 상태에서는 에너지의 질이 높을 수밖에 없고 증오와 자기혐오 등에 빠져 있는 상태에서는 질이 낮다. 꿈을 이루고 하고 싶은 일을 하고 있어도 매일 초조해하고 짜증만 낸다면 그 사람의 에너지의 양은 많아도 질은 높을 수 없는 것이다. 에너지의 양도 많고 질도 높으면 그 사람은 '행복한 성공'을 이룬 사람이다.

에너지의 질은 높은데 양이 적은 사람은 사랑과 편안함을 느끼지만, 욕망이 적어 별로 행동하지 않기 때문에 사업을 해도 크게 성공하지 못할 가능성이 크다. 반면에 에너지의 양은 많은데 질이 낮은 사람은 욕망이 많고 행동력과 전파력이 뛰어나서 압도적인 카리스마와 존재감을 자랑하지만, 스스로에 대한 믿음이나 타인에 대한 감사와 같은 긍정적인 감정을 느끼지 못하기 때문에 가정이나 직장에서 문제가 끊이지 않고 우여곡절 많은 인생을 보낼 확률이 높다.

이처럼 행복한 성공을 이루려면 반드시 에너지의 질과 양 모두를 중요시해야만 한다. 노잉은 에너지의 질이 높을 때 더 자주 일어난다. 불평불만이나 분노처럼 부정적인 감정에 빠져 있을 때는 노잉을 느끼기 힘들다. 그래서 이 책에서는 감정 상태를 긍정적으로 변화시키고 에너지의 질을 높이기 위한 다양한 방법을 소개하려 한다. 더 자세한 내용은 4장에서 살펴보자.

앞에서 말했듯이 노잉이 언제 일어날지는 아무도 모른다. 하지만 내 경험에 비추어 봤을 때 각자의 인생에서 가장 중요한 순간에 일어난다는 생각이 든다.

내 경우에는 회사를 그만두고 프리랜서가 되기로 마음

먹은 후부터 SNS를 활용해 일하는 방법이 떠올랐고 그 뒤로 다양한 일들이 시작되었다. 먼저 프로필을 작성하는 강의를 들으면서 스스로 장단점을 정확하게 파악했고, 정보 수집과 인맥 형성을 위해 각종 세미나와 이벤트에 참여해 3천 명이 넘는 사람들과 소통하기 시작했다.

프리랜서로 독립해서 SNS를 활용해 일하겠다고 다짐했을 때는 나름대로 SNS를 연구하고 앉으나 서나 오직 SNS 생각만 했다. 오죽하면 트위터의 프로필과 두세 개의 게시글만 봐도 그 계정의 팔로워 수가 대략 몇 명인지 맞힐 수 있을 정도였다. 일단 SNS를 파악한 후에는 어떻게 활용해야 효과적으로 나를 알릴 수 있을지, 어떤 글을 올려야 일이 들어올지에 대한 아이디어가 끊임없이 샘솟았다.

이렇게 다방면으로 노력했기에 앞서 말했던 것처럼 많은 사람에게 주목받을 수 있었고 마침내 '유명 다큐멘터리 프로그램에 출연한다'라는 노잉을 접할 수 있던 것이 아닐까. 노잉이 찾아온 이후에는 떠오른 아이디어를 행동에 옮길 때마다 어김없이 새로운 일과 사람들로 이어졌다. 마치 나를 기다리고 있던 것처럼 문이 열리고 새로운 문이 열릴 때마다 무한하게 넓은 세계가 눈앞에 펼쳐지는 듯한 짜릿한 기분이 들었다.

노잉은 내 마음대로 일으킬 수 없다. 그저 내가 하고 싶은 일, 할 수 있는 일들에 최선을 다하며 하루하루를 충실하게 보내자. 그것이야말로 언젠가 찾아올 그날을 위한 준비다.

인생은 항상 준비하는 시간이다. 언제 어떤 일이 일어나도 당황하지 않도록 우리는 매일 노잉을 맞이하기 위한 준비를 하고 있는 셈이다. 준비의 시간이 끝나고 노잉이 찾아오면 여러 가지 일들이 한꺼번에 닥쳐올 것이다. 감당하기 힘들 만큼 엄청난 속도로 꿈꾸던 일들이 실현될지도 모른다. 걱정할 필요 없다. 모든 일이 술술 풀리는 흐름 속에 몸을 맡기면 나도 모르는 사이 완전히 새로운 세계에 도착해 있을 테니 말이다. 이것이야말로 노잉의 묘미가 아닐까.

3장

나만의
HOW
찾기

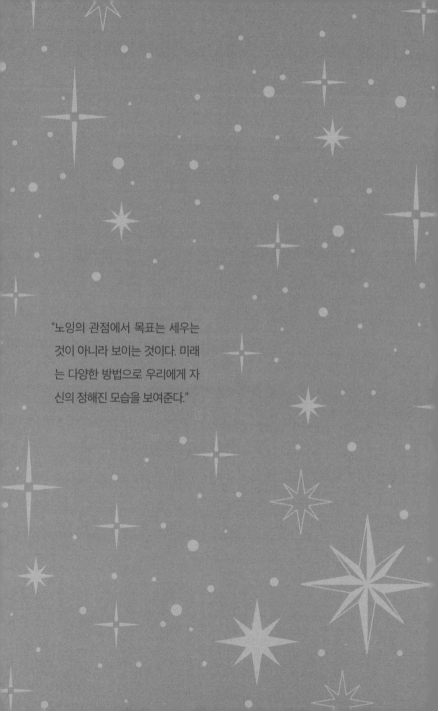

"노잉의 관점에서 목표는 세우는 것이 아니라 보이는 것이다. 미래는 다양한 방법으로 우리에게 자신의 정해진 모습을 보여준다."

당신의 테마는 무엇인가요?

지금까지 노잉이라는 새로운 개념을 소개하고 노잉을 통해 미래 모습을 미리 볼 수 있는 순간이 찾아온다는 사실을 이야기했다. 이걸 보고 누군가는 이렇게 물을지도 모른다.

"그럼 모든 운명은 이미 결정된 건가요?"

미래가 결정되어 있는지 아닌지, 혹은 어느 정도는 정해져 있더라도 내가 선택할 수 있는 부분이 있는 건지 궁금한 것이 당연하다. 이것은 인생을 살아가는 데 있어 누구나 한 번쯤 품어봤을 간절한 의문이기도 하니까.

결론부터 말하자면 나는 기본적으로 미래는 정해져 있지 않다고 생각한다. 우리에게는 자유의지가 있으므로 인생에서 일어나는 다양한 일들에 어떻게 반응할지, 무엇을 선택할지는 온전히 나에게 달려있다. 다만, '기본적으로'라는 말을 덧붙인 데에는 이유가 있다. 사람에게는 이미 정해진 '나만의 길', 다시 말해 각자에게 가장 중요한 인생 테마가 존재한다고 생각하기 때문이다.

사랑에 관해 공부한다거나, 권력에 굴하지 않고 자유롭게 산다거나, 변화를 즐기는 등 각기 다른 인생 테마에 맞춰 살아가면 모든 일이 순조롭고 가장 중요한 순간에 꼭 필요한 사람과 운명처럼 만나게 된다. 테마에 따라 '바로 이거다!' 싶은 일을 선택하면 누군가 내 인생을 응원하기라도 하는 것처럼 관련한 정보가 미래로부터 현재로 흘러들어오기도 한다. 여기에서 중요한 것은, 누구에게나 인생 테마는 있지만 그걸 찾아 나가는 방법은 사람마다 다르고 같은 테마 안에도 다양한 형태가 존재한다는 사실이다.

당신의 인생 테마가 '창의력을 살려 마음껏 자기표현 하는 일'이라면 어떤 일이 가능할까? 책도 쓸 수 있고 영화나 음악을 만들거나 만화를 그려도 되고 나처럼 SNS를 활용하는 일도 할 수 있을 것이다. 다양한 일 중에서 음악을 선택하면 뮤지션이 되는 것이고, 음악이 아닌 다른 분야를 선택한다면 배우나 인플루언서, 디자이너가 될 수도 있다. 인생의 테마를 실현하는 방법은 이렇게나 무궁무진하다. 여러 가지 길 중에서 순조롭게 잘 풀리거나 스스로 관심과 열정을 쏟을 수 있는 쪽을 선택하면 된다.

사람은 누구나 자신의 인생을 특별하게 만들고 싶기 마련이다. 그런데 마음만 굴뚝같고 '좋아하는 일은 많은데 끌리는 게 없어, 애초에 내가 하고 싶은 일이 뭔지 모르겠어'

라며 고민하는 사람이 많다. 이럴 때는 나의 인생 테마가 무엇인지 다시 한번 곰곰이 생각해 보자. 당신이 인생을 살아가며 소중히 여기고 싶은 일, 꼭 이루고 싶은 일은 무엇인가?

길을 찾는 가장 확실한 방법

자기실현은 이미 결정된 나만의 인생 테마를 찾아 실현해 나가는 일이다. 마치 미켈란젤로가 대리석 속에 숨겨져 있던 조각을 '발견'했던 것처럼.

때로는 하고 싶은 일을 하기 위해 아무리 노력해도 영 결과가 좋지 않을 수도 있다. 아무래도 재능이 없는 것 같다며 풀이 죽을지도 모른다. 그럴 때는 꿈을 이루기 위한 수단과 방법을 바꿔보자. 지금까지 보이지 않던 길이 눈앞에 나타나게 될 테니 말이다.

오래전 내가 주최했던 모임에 참가했던 한 여성은 직접 만든 잡화를 파는 인터넷 쇼핑몰을 운영하고 있었다. 그런데 블로그와 트위터를 동원해서 아무리 홍보해도 판매가

영 시원치 않아 고민하던 참이었다. 꾸준히 노력해도 성과를 거두지 못하는 이유가 홍보 방법이 잘못되었기 때문이라고 판단한 그녀는 온라인 대신 오프라인으로 눈을 돌려 원데이클래스를 시작했다. 수업은 금방 입소문을 타며 인기를 끌었고 쇼핑몰 수익도 훨씬 늘어났다. 지금 그녀는 각종 이벤트에 출연하는 건 물론이고 책도 두 권이나 낸 어엿한 '엄마 창업가'가 되었다.

요즘은 워낙 온라인 사업이 대세이다 보니 인터넷을 못하면 사업이 아예 불가능한 것 아니냐며 걱정하는 사람도 많다. 하지만 누구나 자기 나름의 재능을 타고나는 법이다. 글쓰기는 서툴러도 사람과 직접 만나기를 좋아하는 사람, 컴퓨터는 할 줄 몰라도 말솜씨 하나는 끝내주는 사람이 있기 마련이다. 나는 프로야구선수처럼 공을 던지고 치지는 못하지만, SNS를 통해 소통하는 일은 선수들보다 훨씬 잘할 자신이 있다.

자신의 재능을 살릴 수 있는 장소와 방법을 찾을 때까지 다양한 일에 도전해 보자. 혹여나 도전의 결과가 좋지 않다고 해서 일찌감치 포기하는 것은 금물이다. 그럴 때는 또 다른 수단과 방법을 찾아봐야 한다. 내게 꼭 맞는 일을 발견할 때까지 수단과 방법을 가리지 말고 계속해서 도전하자.

WHAT이 아닌 HOW

어떤 일을 하고 싶냐는 질문에 '네일아트 전문가가 되고 싶다'라든가 '채소 소믈리에가 될 거야'라며 구체적으로 대답할 수 있는 사람이 얼마나 될까? 아마도 대부분은 무엇을 해야 할지조차 모른 채 망설이고 있을 것이다.

'내가 무엇을 하고 싶은지 잘 모르겠다'라고 말하는 사람일수록 어떤 일 하나를 정하면 마치 평생 그 일만 해야 하는 것처럼 거창하게 생각하는 경향이 있다. 그래서 그런지 부담감이 커서 아예 첫걸음조차 떼지 못하는 경우가 많다. 하지만 하고 싶은 일은 인생을 살아가며 몇 번을 바꿔도 상관없으니 조금 더 가벼운 마음으로 생각했으면 좋겠다.

하고 싶은 일은 WHAT에 해당한다. 그러니까 인생에서 무엇을 하고 싶은지가 아니라 어떻게 살고 싶은지, HOW를 고민해야 더욱 찾기가 쉬워진다. 다니던 회사를 그만두었을 때 내 머릿속에는 하고 싶은 일이 잔뜩 있었지만, 구체적으로 무엇을 할지는 아무것도 정하지 않은 상태였다. 카페도 차리고 싶었고 게스트하우스도 재밌어 보이기는 했지만, 임대료나 필요한 시설을 갖추는 데 들어가는 돈을 생각하면 현실적으로는 불가능에 가까웠다. 출판사에서 일했던 경험을 살려 프리랜서 작가가 되어볼까도 생각했지만, 집에서 가만히 글만 쓰는 건 따분할 것 같았다. 이렇게 이런저런 궁리만 했지 좀처럼 결론을 내리기 힘들었다. 그래서 나는 무엇을 하고 싶은지WHAT가 아니라 어떻게 일하고 싶은지HOW를 고민해보기로 했다.

직장을 다니던 시절 가장 힘들었던 점은 자유롭게 여행을 갈 수 없다는 것이었다. 팀원들과 함께 일하다 보니 길게 해외여행이라도 가려면 적어도 반년 전에는 휴가 일정을 조정해야 했다. 내가 자리를 비우는 동안 업무에 지장이 없도록 모든 일을 완벽히 처리해놓고 가야 한다는 부담도 컸다.

항상 '해외여행을 다니면서 일할 수 있으면 얼마나 좋을까'라고 생각했다. 이러한 기억 때문인지 어떻게 일하고 싶은지를 생각했을 때 가장 먼저 떠오른 것이 바로 '여행하면서 일하고 싶다'는 것이었다. 어떻게 일할지가 명확해지니 내가 할 수 있는 일의 범위도 확 좁혀졌다.

카페나 게스트하우스를 운영하려면 책임자로서 매일 가게에 나가봐야 한다. 내가 없어도 가게를 믿고 맡길 수 있는 사람을 찾거나 가르치는 일도 보통 일이 아니다. 인터넷 쇼핑몰에서 의류나 잡화를 판매하는 일은 점포를 낼 필요는 없어도 재고를 보관할 창고나 배송 작업을 위한 장소가 있어야 하므로 고정 비용이 들어간다.

이렇게 불가능한 일들을 하나씩 지우다 보니 결국 남은 건 컴퓨터와 스마트폰만 있으면 할 수 있는 일밖에 없었다. 이 조건만 충족하면 책 집필이나 컨설팅처럼 지적 생산과 관련된 일이 아니더라도 무엇이든 하겠다고 마음먹었다.

자신의 인생에서 가장 소중한 HOW를 우선시한 덕분에 여행을 다니면서 일도 할 수 있는 새로운 근로 방식이 생겨난 셈이다. HOW를 확실히 정하고 나면 자신의 이상과 맞는 일, 맞지 않는 일을 선택하기가 훨씬 수월하다.

예전에 빈집을 활용해 어린이집을 만드는 프로젝트 의뢰가 들어온 적이 있다. 흥미로운 제안이었지만 기획부터 실행과 운영까지 여러 가지 요소를 고민하지 않을 수 없었다. '여행하며 일하는 것이 가능한가'라는 HOW의 관점에서 생각했을 때, 고정된 장소에서 운영을 책임지는 일은 못 해도 프로젝트를 기획하고 아이디어를 내는 일까지는 할 수 있겠다고 판단했다. 결국 나 대신 유아교육 사업을 하는 친구를 소개하기로 하고 프로젝트 의뢰는 거절했지만, 이처럼 일을 선택하는 기준이 분명하면 할지 말지에 대한 판단도 빨라진다.

또 자신만의 HOW가 확고하면 자연스럽게 그에 어울리는 일이 들어오기도 한다. 평생에 걸쳐 수백 권의 저서를 남긴 영문학자이자 평론가 와타나베 쇼이치는 중학생 때 만난 은사님의 모습을 보고 '책에 둘러싸인 인생을 살고 싶다'라고 생각했다고 한다. 이는 곧 그의 인생을 관통하는 HOW가 되었고 이러한 생각을 바탕으로 쓴 책인 《지적으로 나이 드는 법》은 아직도 많은 사람에게 큰 사랑을 받고 있다.

와타나베 쇼이치는 15만 권이 넘는 장서를 보유하고 전공 분야인 영문학뿐만 아니라 역사와 경제, 자기계발에 이르기까지 다양한 분야의 저서를 남겼다. 책에 둘러싸인 인생을 살겠다는 어린 시절의 다짐을 그대로 실현한 셈이다. 이처럼 한 사람의 인생은 WHAT이 아니라 HOW에 의해

결정된다.

인생의 HOW를 정하는 건 자신의 라이프스타일을 결정하는 것과 마찬가지이다. 나는 SNS를 통해 주목받고 각종 미디어에 출연하게 된 다음부터 패션에도 나만의 개성을 담으려 노력한다.

보통 토론 프로그램이나 뉴스에 등장하는 전문직 여성들은 대부분 단정한 정장이나 원피스 차림에 구두를 신는다. 반면에 나는 캐주얼한 패션을 고수한다. 항상 청바지에 티셔츠, 재킷을 걸치고 운동화를 신는다. 이런 내 모습이 처음에는 많이 튀었을지도 모르겠다. 물론 일부러 눈에 띄려고 그런 옷을 입었던 건 아니다. 내게 패션은 '여행하면서 일하기'라는 나만의 HOW를 표현하는 방법이기도 하다.

정부 기관이나 대기업이 주최한 자리에 갈 때도 언제나 같은 스타일로 옷을 입자 어느 순간부터는 이 패션 자체가 나만의 캐릭터가 되었다. 캐릭터가 확실해지니 더 많은 곳에서 나를 찾기 시작했다. 자유롭게 일하고, 형식에 얽매이지 않는 삶을 사는 아이콘으로 관련 이벤트나 강연이 있을 때 제일 먼저 떠오르는 사람이 된 것이다. 패션처럼 겉으로 보이는 모습도 나만의 HOW를 표현하는 하나의 방법이다.

나만의 캐릭터가 있으면 포지션과 역할도 훨씬 분명해진다. 그리고 다른 사람과 자신을 비교하는 일이 얼마나 쓸데없는 일인지도 알 수 있다. 예를 들어 버블경제 시기를 직접 겪은 윗세대 사람들은 자신의 경험을 토대로 당시 상황을 나보다 훨씬 설득력 있게 말할 수 있을 것이다. 반면 나는 버블경제 시기는 잘 몰라도 내가 겪었던 취업 빙하기 시절의 이야기나 직장에서의 경험을 나눌 수 있다.

전문가처럼 정확한 데이터를 근거로 들어가며 얘기할 수는 없어도 실제 경험을 바탕으로 하거나 새로운 관점에서 바라본 이야기는 많은 사람에게 공감을 얻기 마련이다. 그러므로 나만의 장점을 어떻게 살릴 수 있을지 고민하면 있는 그대로의 내 모습에도 자신이 생길 것이다. 부족한 점에만 신경 쓰지 말고 이미 내가 가지고 있는 장점을 최대한 살려서 나만의 개성으로 삼아보자.

최근에는 회사를 그만두고 프리랜서로 활동하거나 여러 개의 직업으로 활동하는 일명 N잡러가 늘어나다 보니, 나도 뭔가 다른 일을 해야 하는 게 아닐까 하며 초조해하는 사람이 늘어나고 있다. 진짜 하고 싶은 일이 있어서 새로운 일을 시작하는 것이라면 당연히 응원하겠지만, 그저 분위기에 휩쓸려서 마구잡이로 하는 일은 절대 좋은 결과를 얻을 수 없다.

정해진 규칙이 많아 다소 불편하고 인간관계로 스트레스 받는 일도 많지만, 회사라는 조직 안에 소속되어 있을 때 안정감을 느끼는 사람도 있고 하나의 일에만 집중해야 성과가 나는 사람도 있다. 일하는 방식이 아무리 다양해졌다고 해도 지금까지와 마찬가지로 회사원으로서 열심히 일하는 편이 자신에게 잘 맞는 사람도 있기 마련이다. 다른 사람이 뭘 하든 휩쓸리지 말고 내게 잘 맞는 방법을 선택하면 그걸로 충분하다.

HOW에 집중하면 생기는 일

나만의 HOW를 정하면 미래지향적으로 살아가게 된다. 쉽게 설명하자면 이런 식이다. 저녁에 카레를 먹고 싶어진 당신이 슈퍼에 가서 당근, 감자, 고기 등을 사 왔다고 생각해 보자. 당신이 그걸 산 이유는 무엇인가? 바로 카레를 만들겠다고 생각했기 때문이다. 그냥 아무런 이유 없이 슈퍼에 가서 당근과 감자를 산 다음 이걸로 카레를 만들 수 있으니 오늘은 카레를 먹어야겠다고 생각하는 경우는 거의 없을 것이다.

내 경험을 돌이켜 봐도 그렇다. 내가 저널리스트 사사키의 트위터에서 소개되고 모 편집장의 추천으로 TV 프로그램에 출연할 기회를 얻은 것은 모두 내가 기회를 기다리며 SNS에서 활발하게 활동한 덕분이다. 처음부터 시간과 장소에 구애받지 않는 새로운 근로 방식을 널리 알리겠다는 생각이 있었기에 가능한 일이었다.

대학생 시절 미래의 내 모습을 봤던 노잉이 찾아온 것 또한 죽기 살기로 공부해서 대학에는 입학했지만 다른 사람들과 똑같은 길을 가고 싶지 않아서 나만의 일하는 방식을 찾으려 애썼던 덕분이라고 생각한다.

과거에 내가 했던 모든 행동은 미래를 향해 공을 던진 것과 마찬가지였다. 시간은 미래로부터 현재를 향해 흐르고 있으니 내가 미래를 향해 던진 공은 언젠가 나에게 다시 돌아오기 마련이다. 그리고 때가 무르익으면 나만의 HOW를 실현할 기회도 찾아온다.

우리는 이미 지나간 과거에 연연하지 말고 미래를 바라

보며 살아야 한다. 당신은 먹고 싶은 요리를 만들기 위한 재료를 차곡차곡 모아가는 미래지향적 삶을 살 것인가, 아니면 언제부터 냉장고에 처박혀 있었는지 모를 재료들을 가지고 당장 할 수 있는 요리로 만족하며 과거지향적으로 살아갈 것인가.

인생을 살면서 미래는 보지 않고 과거만 바라보는 건 마이클 잭슨의 문워크처럼 뒤를 향해 걸어가는 것이나 다름없다. 노잉은 미래지향적으로 살아가는 사람들에게만 찾아온다는 사실을 잊지 말자.

'하고 싶은 일'의 진짜 의미

인생의 HOW는 정했는데 '하고 싶은 일'이 무엇인지는 여전히 모르는 사람도 많다. 앞서 소개한 작가 혼다 켄도 하고 싶은 일을 찾기까지 무려 4년이라는 시간이 걸렸다고 한다. 아이가 태어난 후 모든 일을 그만두고 한동안 육아에만 전념했던 그는 아이를 키우는 동안 줄곧 자신이 진짜 하고 싶은 일이 무엇인지에 대해 고민했고, 오랜 시간을 들여

결국 찾아냈다. 후에 한 인터뷰에서 그는 "(하고 싶은 일을 찾은 것이) 내가 시간을 들여 한 모든 일 중에 가장 가치 있었다"고 말하기도 했다.

아무리 고민해도 하고 싶은 일이 무엇인지 모르겠다고 말하는 사람은 '좋음'을 느끼는 센서가 마비되어 있는지도 모른다. "좋아하는 음식이 뭐예요?"라는 질문에 대답하는 건 그리 어려운 일이 아니다. "좋아하는 옷 스타일이 뭐예요?"라는 질문에도 대부분은 금세 이미지가 떠오를 것이다. 그런데 꽤 많은 사람이 타인에게 질문을 받기 전까지는 자기가 무엇을 좋아하는지에 대해 생각할 필요조차 느끼지 않고 살아간다.

매일 회사 사람들과 함께 점심을 먹으러 나가서 특별히 좋아하지도 않는 음식을 먹고, 좋아하는 옷을 입는다기보다 그냥 가격이 싸서(이것도 나쁜 일은 아니지만) 산 옷을 입는 것처럼 애당초 내가 무엇을 좋아하는지를 고민할 기회가 별로 없는 것도 사실이다.

자신이 좋아하는 것에 둘러싸여 좋아하는 일만 할 수 있다면 얼마나 행복할까. 하지만 정작 좋아하는 걸 선택할 기회조차 없이 하루를 보내다 보면 좋다는 감정 자체를 느끼기 어려워질 수밖에 없다. 이런 일상을 보내는 사람에게 "진짜 하고 싶은 일이 뭐예요?"라고 물어본들 대답할 수 있을 리 없다.

원래 내가 하고 싶은 일, 하면서 즐거운 일은 좋아하는 음식이나 옷처럼 오래 고민하지 않아도 느낄 수 있는 좋음의 연장선에 있는 것이다. 그러므로 하고 싶은 일을 찾기 위해서는 좋다는 감정을 느끼는 센서가 녹슬지 않도록 자주 사용하며 갈고 닦아야 한다. 센서의 감도가 높으면 좋음을 느끼고 싶지 않아도 느껴질 수밖에 없게 될 것이다.

좋아하는 것에 대한 센서는 일상 속에서 작은 실천을 통해 감도를 높일 수 있다. 나는 서점에 가서 책을 고를 때, 먼저 마음에 드는 책 세 권을 고른 후 만져보거나 페이지를 넘겨보면서 무엇을 살지 스스로에게 물어본다. 카페에서도 항상 똑같은 음료를 마시는 게 아니라 내가 지금 마시고 싶은 것이 무엇인지 커피인지 홍차인지 코코아인지 천천히 스스로와 대화를 나눈다. 스마트폰으로 뉴스를 볼 때 어떤 기사를 읽을지는 제목을 보거나 손가락으로 기사를 클릭하려던 순간의 기분이 어떤지로 판단한다(대개는 왠지 찝찝한 느낌이 들 때가 많지만……).

이렇게 생활하면서 소소하게 무언가를 정해야 할 때마다
나 자신의 감각에 집중하다 보면 좋음을 느끼는 센서도 더
욱 활발하게 작동한다. 물론 카페에서 어떤 음료를 마실지
결정하는 건 내 인생에 아무런 영향도 주지 않는다. 하지만
중대한 결정을 내려야 할 때 필요한 판단력도 일상 속에서
작은 결정을 했던 경험이 쌓여야만 길러진다는 사실을 명
심하자.

인생을 함께할 파트너를 선택하거나 집을 살 때처럼 인
생에서 큰 결단을 내려야 할 때야말로 평소에 센서를 얼마
나 잘 갈고 닦았는지에 따라 결과가 달라진다. 또 사소한
결정을 하며 쌓인 자기 자신에 대한 신뢰도 중요한 순간에
빛을 발하게 될 것이다.

한편, 역설적으로 들릴지도 모르지만 좋음을 느끼는 센
서의 감도가 좋아지면 좋아질수록 어떤 일이 좋은지 아닌
지 또는 하고 싶은지 아닌지는 크게 중요하지 않아진다. 왜
냐하면, 내가 선택한다기보다도 이미 '정해진' 것처럼 느껴
지기 때문이다. 무슨 일이든 내가 '하고 싶은 일을 선택'하
는 게 아니라 '정해진 일이 내가 하고 싶은 일'이 된다. 쉽게
말해 미래로부터의 메시지를 본 순간 '나는 이 일이 하고

싶었어'라고 깨닫게 된다는 말이다.

스스로를 방해하는 세 가지 감정

여기서 반드시 생각해봐야 하는 문제가 있다. '이거 너무 하고 싶어!'라는 생각이 들었을 때 그 생각이 진짜 속마음에서 나온 건지 아니면 가짜 속마음인지 구분하는 일이다. 두 속마음을 구분하려면 내 마음속 감정이 긍정적인지 부정적인지를 먼저 살펴봐야 한다. 순수하게 '하고 싶다'라는 긍정적 감정에서 우러나온 건 진짜 속마음이다. 반면에 '하고 싶지 않다'라는 부정적 감정에서 비롯된 동기는 가짜 속마음이며 그저 하기 싫은 일을 회피하기 위한 경우가 대부분이다.

한 프렌치 레스토랑에서 일하는 여성의 경우를 예로 들어보자. 그녀는 학교를 졸업하고 레스토랑에서 일한 지 5년이 지날 무렵부터 '프렌치의 본고장인 파리에 가서 요리를 더 배우고 싶다'고 생각했다. 이 생각이 그녀의 진짜 속마음인지 아닌지를 구분하려면 프랑스에서 요리를 배우고 싶다는 생각이 정말 설레고 두근거리는 감정에서 나온 것인지 아니면 지금 일하는 곳에서 도망치고 싶은 마음에 그런 생각을 하게 된 것인지를 알아야 한다.

'일은 힘들어도 힘든 만큼 보람차기도 하다. 신메뉴 개발을 맡게 된 이후에는 전통적인 요리기술을 더 배워보고 싶은 욕심도 생겼다. 예전부터 프랑스에 가서 요리와 와인을 공부하고 싶은 꿈도 있었다. 마침 친구로부터 프랑스의 한 레스토랑에서 사람을 구한다는 소식을 듣고 꼭 가고 싶다는 생각이 들었다.'

이렇게 긍정적인 마음에서 비롯된 생각은 진짜 속마음이다. 반대로 프랑스에 가서 공부하고 싶다는 생각보다 레스토랑에 신입이 들어왔는데 성격이 잘 맞지 않아서 일하기 불편하다든가, 선배 요리사가 신입만 예뻐해서 짜증이 난다든가, 이 가게에서는 더 배울 게 없을 것 같다든가 하는 불평불만에서 나온 생각이라면 가짜 속마음이라 할 수 있다.

부정적인 마음을 품은 채로 일하다 보면 '더는 이 일을 하고 싶지 않아'라든가 '저 사람과 멀리 떨어지고 싶다'처럼 도망치려는 궁리만 하게 된다. 뿐만 아니라 회피하려는 자기 모습을 어떻게든 정당화하는 데에만 열중하다 보니 일하면서 즐거움이나 기쁨도 전혀 느끼지 못하게 된다.

때로는 자신의 마음속에 부정적인 생각이 있었다는 사실조차 모른 채 움직이는 일도 있을 수 있다. 하지만 부정적인 생각에서 비롯된 일은 어차피 좋은 성과를 거두지 못하거나 '이 길이 아닌가' 하며 도중에 그만두는 경우가 대부분이다.

출판사에 다닐 때 이런 일이 있었다. 신입사원 연수를 마치고 영업부서로 배정 받은 나는 의욕만 앞선 나머지 매일 실수를 연발했다. 전화 내용도 제대로 전달하지 못하고, 중요한 서류 복사를 잊어버리고, 업무 메일을 놓쳐서 회의 시간을 깜빡하는 등 정말 하나부터 열까지 엉망이었다.

어찌어찌 입사 후 3년 차를 맞이할 무렵, 서점에 갔다가 한 패션잡지를 보게 되었다. 별생각 없이 페이지를 넘기는데 '직원 모집'이라는 글자가 눈에 띄었고 마침 그날이 바로 마감일이었다. 나는 실수만 저지르는 나날에서 벗어나고 싶은 마음에 충동적으로 그 잡지를 사서 나와 곧장 증명사진을 찍고 이력서를 써서 보냈다.

며칠 뒤 서류심사를 통과했다는 연락을 받았다. 뒤이은 면접도 화기애애한 분위기에서 잘 치른 덕분에 그날 바로 최종면접이 잡혔다. 일이 술술 풀리는 것 같아 내심 기분이 좋았고 이대로라면 합격도 문제없다는 생각이 들어 최종면접을 보기로 한 금요일을 손꼽아 기다렸다.

마침내 면접 당일, 조금 일찍 도착해서 회사에 전화를 걸었는데 글쎄 전화를 받은 직원이 "편집장님도 부편집장님도 퇴근하셨는데요"라고 하는 게 아닌가.

"그럴 리가 없어요. 어디 잠깐 나가신 것 아닐까요?"라고 물어봐도 "컴퓨터 전원도 꺼져 있고 퇴근하신 게 맞아요"란다. 어쩔 수 없이 그냥 집에 돌아왔는데 월요일 아침에 부편집장으로부터 메일이 왔다. '우리 직원이 실수한 것 같네요'라며 사과하는 내용이었다. 면접 당일 편집장과 부편집장은 회의실에서 나를 기다리고 있었는데 직원이 그걸 모르고 잘못 말했다는 것이었다. 메일에는 '면접 날짜를 다시 잡아도 될까요?'라고 적혀 있었지만, 내 마음은 이미 떠난 뒤였다. 주말을 보내면서 '지금 이직하면 평생 도망쳤다는 꼬리표를 달고 다녀야 할지도 모른다'는 생각이 들었다. 직장을 옮길 게 아니라 지금 직장에서 다시 한번 노력해봐야겠다고 마음을 고쳐먹은 것이다.

이 이야기에는 후일담도 있다. 그로부터 약 한 달 뒤, 서로 얼굴은 알지만 친한 사이는 아닌 회사 선배가 난데없이 밥을 먹자고 불렀다. 무슨 일인가 궁금해하며 약속 장소로 나갔는데 선배 옆에 처음 보는 여성이 앉아 있었다.

"혹시 다른 회사 면접 봤어?"라는 선배의 갑작스러운 질문에 흠칫 놀랐지만 "네, 봤는데요"라고 솔직히 대답하자 선배는 "거기 안 가서 정말 다행이야"라며 생각지도 못한 이야기를 해주었다.

선배와 함께 있던 여성은 내가 면접을 봤던 회사에 다녔었는데 회사에서 힘든 일을 겪고 그만두었다고 했다. 우연히 내가 면접을 봤다는 이야기를 듣고 걱정이 돼서 친구인 회사 선배를 통해 그 회사에 가지 말라고 말해주려 했다는 것이다. 두 사람의 말을 들어보니 정말 그 회사에 안 가길 천만다행이라는 생각이 들었다. 그리고 나는 이 경험을 통해 역시 홧김에 저지른 일은 잘될 턱이 없다는 소중한 교훈을 얻었다.

가짜 속마음, 부정적인 마음과 함께 우리를 방해하는 또 하나의 요소는 두려움이다. 두려움은 앞으로 나아가기 위한 첫걸음을 내딛지 못하게 막는다.

내 아이디어를 바탕으로 창업하고 싶다, 요리 실력을 살려서 가게를 내고 싶다, 유명한 인플루언서가 되고 싶다, 결혼해서 행복한 가정을 꾸리고 싶다 등 사람의 꿈은 각양각색이다. 하지만 많은 사람이 '회사를 그만두면 안정된 수입이 없어지니 불안하다, 이제 나이도 있는데 실패할까 봐 두렵다, 내 실력에 자신이 없다, 내가 좋아하는 사람이 나를 좋아할 리가 없다'처럼 다양한 핑계를 대며 꿈을 실현하기를 주저한다.

특히 창피함에서 비롯된 두려움 때문에 새로운 도전에 나서지 못하는 사람이 무척 많은 것 같다. '옛날에 알던 친구가 내 SNS를 보고 비웃으면 어떡하지, 인스타 라이브를 했는데 아무도 안 봐주면 어떡하지'처럼 말이다. 다른 사람의 평가와 시선이 두려워 차마 용기를 내지 못하는 것이다.

두려움의 내용은 사람마다 다르다. 그러므로 가장 먼저 내가 갖고 있는 두려움의 정체를 확실히 파악해야 한다. 흔히 두렵다는 감정의 이면에는 자신이 소중히 여기고 가치 있게 생각하는 일이 숨겨져 있는 경우가 많다. 즉, 금전적인 걱정을 한다는 건 지금까지 돈을 중요하게 생각하고 착실하게 살아왔다는 말이기도 하며, SNS에서 비난받을까 봐 불안해하는 건 그만큼 자기표현에 대한 욕망이 크다는 의

미이기도 한 셈이다.

앞으로 나아가고자 할 때 느끼는 두려움에는 그 사람이 오랫동안 품어왔던 생각이나 감정이 고스란히 녹아있다. 그렇기에 두려움을 극복할 수만 있다면 인생에 커다란 변화가 찾아온다. 금전적인 걱정을 하던 사람은 새로운 사업에서 자신의 금전 감각을 살릴 수 있고 비난을 두려워하던 사람은 자신만의 독특한 캐릭터를 뽐내며 많은 팬을 얻을지도 모른다.

당신이 하고 싶은 일을 하려 할 때 어떤 두려움이 있는지 잘 살펴보자. 그 두려움에서 벗어나면 더 높은 곳까지 단숨에 날아오를 수 있을 테니 말이다.

이유 없이 불편한 사람이 있을 때

누구에게나 자신과 잘 맞는 사람, 안 맞는 사람이 있기 마련이다. 나와 잘 맞는 사람들하고만 어울리며 좋아하는 일만 할 수 있다면 인생은 얼마나 편하고 행복할까.

하지만 인생을 살아가면서 여러 사람과 다양한 경험을 하는 것은 꼭 필요한 일이기도 하다. 때로는 나와 도저히 맞지 않을 것 같던 사람과의 공통점을 우연히 발견하고 친해질 수도 있고 그런 경험이 쌓이다 보면 스스로 자신감을 가지게 되는 계기가 될 수도 있다.

나는 불편한 사람과 어울리는 일을 일종의 훈련이라고 생각한다. 그래서 '아, 이 사람 너무 싫다, 가능한 한 얽히고 싶지 않다'라는 생각이 들어도 기회가 있을 때마다 친하게 지내기 위해 노력한다. 싫은 사람을 피하거나 만나지 않으면 당장은 좋겠지만, 그 사람과의 관계로 인해 내 인생이 어떻게 달라질지 또 모르는 일이다.

'싫다'는 감정 속에는 스스로에 대한 중요한 메시지가 숨겨져 있기도 하다. 예전에 여러 사람으로부터 '만나보면 좋을 거야'라며 소개받았던 남성이 있었다. 그런데 나는 어쩐지 그 남자가 불편하게만 느껴졌고 그 사람의 SNS를 봐도 영 만나고 싶은 마음이 들지 않았다. 하도 많은 사람이 추천하니 일단 한번 만나보기로 했는데 항상 타이밍이 엇갈려서 좀처럼 기회가 없었다. 일부러 약속을 잡는 것도 내키지 않아서 어차피 만날 사람이라면 언젠가는 만나겠거니 하며 내버려 두었다.

다만, 이 일을 계기로 내가 어렵게 느끼던 일들을 극복해

보자고 마음먹었다. 일부러 두려움을 느끼던 일들을 목록으로 만들어 하나씩 실천에 옮기기로 했고, 그중 하나가 당시 규슈에서 일어난 집중호우로 피해를 본 이재민을 위한 자선행사를 여는 것이었다. 행사 기획부터 홍보, 진행에 이르기까지 모든 과정을 직접 도맡았다. 많은 이들의 참여 덕분에 행사를 무사히 마칠 수 있었고 주최한 행사를 성공리에 치른 경험은 내게도 큰 자신감이 되었다.

그로부터 반년이 지난 어느 날이었다. 참가한 행사에 우연히 전에 만나려다가 만나지 못한 그 남성이 온 것을 보았다. 한참을 망설이다가 말을 걸었는데 의외로 둘 사이에 통하는 점이 많아서 금세 친해졌다. 그렇게 몇 번을 만나다 보니 어느새 그 사람은 내 업무에 꼭 필요한 사람이 되어있었다.

처음 그 남자를 소개받았을 때 그가 불편하게 느껴졌던 이유는 나 자신이 인생의 다음 단계로 나아갈 준비가 부족해서 두려움을 느끼고 있었단 사실을 비로소 깨달았다. 어쩐지 어렵고 불편한 사람은 오히려 내게 중요한 의미를 지니는 사람인 경우가 많다. 만약 내가 그 사람을 끝까지 만나려 하지 않았다면 내 인생을 크게 바꿀 기회를 놓쳐버렸을지도 모르는 일이다.

두려움을 극복하고 불편한 사람과 어울리다 보면 의외의 장점을 발견하기도 한다. 한 번은 불미스러운 소문이 있는 사람과 함께 일하게 된 적이 있었다. 그 사람이 꺼름칙하면 일을 거절하면 그만이었지만, 문득 '이 사람의 장점을 찾아보자'라는 생각이 들었다.

직접 만나보니 그 사람은 확실히 소문대로 다혈질에 말투도 거칠었지만, 정이 깊고 주위 사람을 배려할 줄 아는 사람이었다. 의외의 장점을 발견한 후에는 그 사람의 단점도 받아들일 수 있었고 한동안 그는 내게 업무적으로 많은 기회를 주었다.

이처럼 어렵고 불편한 사람을 이해하고 어울리려 노력하다 보면 자신의 그릇이 조금씩 커지게 된다. 일부러 피하지 않아도 그런 이들과는 의외로 친해지거나 자연스럽게 멀어지기 마련이니 너무 미리 겁부터 먹지는 말자.

계획과 목표는 틀어지라고 있는 것

원래 인생은 생각한 대로 풀리기보다 예상치 못한 일이 일어났을 때 더욱 재미있는 법이다. 목표와 계획을 세우고 노력한 결과로서의 현실과 노잉으로 인한 생각지도 못한 현실을 둘 다 경험해 본 사람으로서 나는 후자가 훨씬 흥미진진했다.

나와 가장 친한 친구인 시로키 나츠코는 일본에서 처음으로 에시컬 주얼리를 판매하기 시작한 주얼리 브랜드 HASUNA의 디자이너 겸 대표다. 에시컬Ethical이란 '윤리적'이라는 의미로 개발도상국의 노동자들에게 정당한 가치를 지불함으로써 빈부격차와 빈곤 문제를 해결하려는 움직임을 뜻한다.

그녀는 학창 시절에 영국에서 국제경제와 개발도상국 지원에 관해 공부했던 것을 계기로 이러한 비즈니스를 시작하게 되었다. 사실 그녀는 미국으로 유학을 떠날 계획이었는데 그녀가 미국행 비행기에 몸을 싣고 날아가던 바로 그 순간 9·11 테러가 발생한 탓에 캐나다에 비상 착륙했다고 한다. 그 후 그녀는 미국 유학을 포기하고 일본으로 돌아왔고 미국 대신 영국으로 행선지를 바꾸었다. 그리고 영국에서 지금의 그녀를 있게 한 공부를 하게 된 것이다.

내가 운영하는 온라인 살롱의 멤버였던 또 다른 여성은 도쿄에서 혼자서 작은 펜글씨 교습소를 운영하던 중에 좀 더 큰 꿈을 이루기 위해 나를 찾아왔다. 그녀는 펜글씨 관련 책을 출판하는 것과 더불어 강의를 통해 글자 쓰기의 즐거움을 널리 알리고 문화인으로서 매니지먼트 사무실에 소속되고 싶다는 꿈을 갖고 있었다. 이름 없는 교습소를 운영하고 있을 뿐인 그녀에게는 무엇 하나 쉬운 일이 아니었다.

나는 먼저 그녀에게 블로그 포스팅 방식을 바꿔보자고 제안했다. 지금까지 교습소와 관련된 안내나 펜글씨 쓰는 방법 같은 사무적인 내용만 가득하던 블로그에 그녀의 개인적인 이야기와 함께 그녀가 얼마나 노력하고 고생해왔는지를 적도록 했다. 그러자 금세 뚜렷한 변화가 보였다. 교습소를 다니던 학생들의 반응이 폭발적이었을 뿐만 아니라 SNS의 '좋아요' 개수도 눈에 띄게 늘어났다.

또한 후배 양성에도 힘써야 한다고 조언했다. 이전에도 강사 육성을 위한 강의를 개설해달라는 요청이 많았지만, 그녀 혼자 운영하는 교습소 사정상 좀처럼 시간을 내기가 힘든 상황이었다. 블로그 포스팅 방식을 바꾼 지 한 달 후부터는 강사 육성을 위한 강의를 신설하고 일부 강의는 외부 강사를 고용해서 맡기기로 했다.

이 무렵에는 블로그에서 단순히 글자를 잘 쓰는 방법을 소개하는 데 그치지 않고 아름다운 글자를 쓸 수 있게 되면 마음가짐이 바뀌고 인생이 변한다는 메시지를 적극적으로 알리기 시작했다. 이것이야말로 그녀가 펜글씨를 통해 사람들에게 전하고 싶은 내용이었다. 이러한 그녀의 노력 덕분인지 이내 강의 의뢰가 물밀듯이 밀려들었다.

강의뿐만 아니라 잡지 취재와 TV 출연 의뢰가 줄을 이었고 우연히 같은 방송에 출연했던 한 예능 매니지먼트 관계자의 눈에도 띄게 되었다. 그 회사에서는 마침 펜글씨 강의가 가능하면서 언변도 뛰어난 사람을 찾고 있었는데 그녀가 적임자였던 것이다. 이렇게 톱니바퀴가 맞물리듯 모든 것이 딱딱 맞아떨어지면서 그녀는 마침내 자신의 꿈이었던 책 출판과 매니지먼트 소속까지 모두 이룰 수 있었다. 예상하지 못했던 일들이 연이어 벌어지면서 채 반년도 안 되는 사이에 꿈꿨던 모든 것들이 현실이 되었다. 미래가 이끄는 대로 살아가다 보면 이렇게 기적 같은 일들이 벌어진다.

노잉의 관점에서 목표는 세우는 것이 아니라 보이는 것이다. 미래는 다양한 방법으로 우리에게 자신의 정해진 모습을 보여준다. 해야 할 일들을 즐겁게 열심히 하다 보면 목표는 자연스럽게 눈에 띄게 된다. 목표가 있으면 활활 타오르는 의욕과 행동력을 바탕으로 바라던 대로의 인생을 만들어나갈 수 있다.

스포츠 선수들의 대부분이 어릴 때부터 그저 몸을 움직이는 게 좋아서 운동을 시작했다가 자연스럽게 대회에 나가고, 메달을 따고, 올림픽에 출전하는 목표를 갖게 된다.

원래 하던 일 말고 다른 일을 할 때도 마찬가지다. 처음부터 직업을 염두에 두고 하던 게 아니었는데 스스로 즐거워서 계속하다 보니 어느새 일이 되어있는 경우가 더 많다. 액세서리 만드는 일을 예로 들어보자. 단순히 취미로 시작한 일이었는데 친구들에게 선물로 준 액세서리가 입소문을 타고 퍼지면서 인터넷 쇼핑몰에서 판매까지 하게 되었다. 조금씩 수익이 날 무렵부터는 단골손님도 생기고 쇼핑몰 운영에도 요령이 붙어 별다른 노력 없이도 가게가 쑥쑥 성장했다.

내가 안간힘을 쓰며 애쓰지 않아도 일이 술술 풀린다니

귀가 솔깃해지지 않는가? 꼭 달성하고 싶은 목표가 없더라도 나만의 HOW를 분명하게 정하고 좋은 감정 상태를 유지하려 노력하면 자연스럽게 인생의 목표 지점에 도달할 수 있다.

만약 초조하고 불안해서 무엇이든 해야 할 것 같은 기분이 들면 오히려 반대로 마음을 편하게 먹고 느긋하게 지내보자. 흔히 사람들은 성공을 거두려면 일단 움직여야 한다고 하지만 때로는 무작정 움직인 탓에 오히려 시야가 좁아져서 잡을 수 있던 기회조차 날리는 결과를 초래할 수도 있다.

원래 행동하길 좋아하는 사람은 아무것도 하지 않으면 마음이 진정되지 않고 뒤처지는 것 같은 기분 때문에 뭐라도 해 보려 하는 경우가 많다. 하지만 하루하루가 해야 할 일로 빼곡하게 채워져 있다면 자신의 진짜 속마음을 들여다볼 여유마저 사라질지도 모른다.

스스로 내가 너무 많이 움직이고 있는 건 아닐까 걱정된다면 일부러 행동을 줄여서라도 하루 중에 잠시라도 공백을 가져 보자.

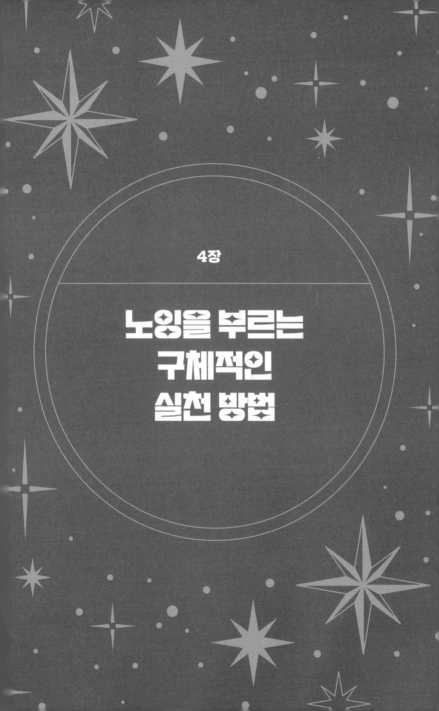

4장

노잉을 부르는 구체적인 실천 방법

"미래로부터의 메시지와 기회는
누구에게나 공평하게 찾아오지
만, 내 것으로 만들 수 있을지 없
을지는 받는 사람에게 달려있다."

노잉은 누구에게나 일어날 수 있다. 하지만 일부러 일으키려 하면 절대 일어나지 않는 것이 또한 노잉이다. 노잉의 특별함을 지나치게 의식하면 일상 속에서의 왠지 끌리는 느낌이나 번뜩이는 떠오름을 놓칠지도 모른다.

노잉이 존재한다는 사실을 인지하는 것은 중요하지만 과한 기대를 품으면 늘 '나에게는 언제 찾아오려나, 이때 일어나면 좋을 텐데'라는 생각을 하면서 행동하게 되고 마음대로 기한을 정하고 손꼽아 기다리게 되기도 한다. 이렇게 기대가 커지면 커질수록 노잉이 찾아오지 않으면 부정적인 감정이 될 수밖에 없다. 기대와 실망은 동전의 양면과도 같기 때문이다.

과거에 노잉을 경험한 사람이라도 그때의 느낌을 재현하기 위해 억지로 노력하면 자신의 의지가 들어가게 되기 때문에 아무런 소용이 없다. 묵묵히 준비하던 일이 어느 순간 문득 꽃을 피우는 것이 바로 노잉이니 말이다.

'운명의 상대와 만나면 전기에 감전된 것처럼 강렬한 느낌이 들 거야'라고 잔뜩 기대하며 특별한 사람과의 만남을 꿈꾸는 사람과 '내가 만나는 모든 사람이 운명의 상대야'라는 생각으로 모든 인간관계를 소중히 여기는 사람이 있다고 해 보자. 과연 누가 더 멋진 인연을 만날 확률이 높을까? 두말할 것도 없이 후자다.

노잉은 무의식의 세계에서 일어나므로 일부러 조절하거나 계획할 수 없다. **우리가 할 수 있는 일은 노잉을 일으키려 애쓰는 게 아니라 그저 노잉이 찾아올 수 있는 좋은 환경을 만들고 그 상태를 유지하려 노력하는 것 뿐이다.**

여기서 노잉이 일어나기 쉬운 '좋은 환경'이란 긍정적인 감정 상태가 계속되는 상태이다. 분야와 상관없이 훌륭한 성과를 내는 사람들은 모두 스스로를 좋은 환경에 두는 방법을 잘 알고 있다. 메이저리그에서 활약했던 이치로 선수는 경기장에 도착하면 언제나 같은 순서로 트레이닝을 한다고 한다. 이는 그가 자신에게 가장 좋은 환경을 만드는 방법을 숙지하고 있다는 사실을 보여준다.

소프트뱅크의 손정의 회장은 중요한 의사결정을 내려야 할 때면 직원이 프레젠테이션하는 도중에도 벌떡 일어나서 야구 배트를 들고 빈 스윙을 시작한다고 한다. 이런 행동 또한 중대한 판단을 내리기에 앞서 정신을 집중하는 그만의 노하우라 할 수 있다.

종종 야구선수들은 최적의 몸과 마음 상태가 되었을 때 '날아오는 공이 꼭 멈춘 것처럼 보였다'고 말한다. 이렇게 모든 감각이 극도로 예민해지고 생각한 대로 몸이 움직이는 상태를 '존ZONE에 들어갔다'라고 표현하기도 하는데, 노잉이 찾아오는 순간도 마찬가지다. 몸과 마음이 안정되면 자연스럽게 좋은 결과로 이어질 수밖에 없다.

반대로 분노가 가득하거나 부정적인 주위 환경 때문에 마음이 불안해지면 노잉은 절대 일어나지 않는다. 자신의 감정 상태를 좋게 만들고 자신에게 닥친 일들에 가능한 긍정적인 의미를 부여했을 때 노잉을 부르는 토대가 만들어진다.

step.2 좋은 환경을 만든다

어째서 노잉은 몸과 마음이 좋은 상태에 있을 때 더 잘 일어날까? 사실 미래로부터의 메시지는 지금 이 순간에도 끊임없이 우리에게 도착하고 있다. '왠지 모르게 끌려, 이 일을 계속하면 새로운 세계가 펼쳐질 것 같아'라는 직감으로 느껴지거나 구체적인 이미지와 상황이 머릿속에 떠오르기도 하고, 우연히 듣게 된 정보에 퍼뜩 깨달음을 얻는 것처럼 다양한 형태로 우리에게 다가온다.

다만, 앞에서 반복해서 강조했듯 마음이 복잡하면 이렇게 세세한 메시지들을 미처 알아차리지 못할 가능성이 크다. 해야 할 일이 잔뜩 밀려서 초조한 상태에서는 메시지를 눈치채지 못하고 지나쳐 버리거나 잠시 신경이 쓰이다가도 다른 일들 때문에 금세 잊히기 십상이다.

마음속에 일렁이던 물결이 잠잠해지고 고요한 수면 상태가 되면 마치 거울처럼 주위 풍경을 뚜렷하게 비춘다. 이렇게 마음을 가다듬고 감정을 다스려야만 미래로부터의 메시지를 확실히 인식하고 받을 수 있는 법이다.

대학 캠퍼스에서 친구들과 수다를 떨다가 고층 아파트에

서 노트북을 펴놓고 일하는 나의 미래 모습을 엿보았던 첫 번째 노잉과 네덜란드에서 내가 새로운 근로 방식을 알리는 전도사가 되리라는 내용의 두 번째 노잉도 모두 내가 느긋한 마음으로 여유를 즐기고 있을 때 찾아왔다. 무라카미 하루키가 소설가가 된다는 영감을 얻었던 것도 햇살이 쏟아지는 야구장에서 게임을 보며 쉬고 있던 때였다.

2장에서 횡당보도 건너편에서 걸어오는 여성을 보고 '이 여성과 결혼한다'라고 직감했던 친구의 이야기를 소개했다. 그 친구는 지방으로 발령받기 전까지 업무로 눈코 뜰 새 없이 바쁜 나날을 보냈다. 하루에 두세 시간밖에 자지 못하는 생활을 10년 넘게 하다가 지방으로 가게 되어 겨우 한숨을 돌리던 차에 부임 첫날 미래의 반려자를 만나는 노잉을 접하게 된 것이다.

그는 그로부터 1년 뒤 횡단보도에서 봤던 여성이 부하직원으로 입사하면서 실제로 결혼에 골인했다. 하지만 만약 그가 여전히 업무 때문에 마음의 여유를 잃은 채 정신없이 지내고 있었다면 같은 상황이었더라도 노잉은 일어나지 않았거나 일어났다고 해도 그가 느끼지 못했을 것이다.

step.3 준비운동을 한다

우리는 보통 운동을 시작하기 전에 준비운동으로 스트레칭을 하거나 가볍게 조깅을 하며 몸을 푼다. 운동할 때만이 아니라 연주회를 앞두고 있거나 회사에서 중요한 프레젠테이션을 해야 하면 사전에 수없이 연습하고 실전처럼 리허설하며 철저히 준비하기 마련이다.

그런데 이상하게도 사람들은 막상 자신의 꿈을 이루고자 할 때는 충분한 준비도 하지 않은 채 목표를 향해 무작정 내달리기만 한다. 그러다가 실패라도 하면 쉽게 좌절하거나 의욕을 잃고 어렵게 시작한 꿈을 향한 발걸음을 아예 멈춰버리기까지 한다.

인생에서의 준비운동은 무엇일까? 나는 부정적인 감정에서 벗어나 마음을 평온한 상태로 유지하는 것이 인생에 필요한 준비라고 생각한다.

사람의 사고방식과 행동은 감정에 좌우되기 쉽다. 깊은 슬픔에 빠지면 밖에 나가기조차 힘들어지고 걷잡을 수 없는 분노에 사로잡히면 다른 사람이 하는 말이 하나도 귀에 들어오지 않기 마련이다. 누구나 회사에서 급히 처리해야 할 일이 있을 때 초조한 마음만 앞선 나머지 오히려 생전 하지 않던 실수를 저지른 경험이 있을 것이다.

이렇게 감정에 휘둘리지 않고 앞으로의 인생에 어떤 일이 일어나도 의연하게 대처할 수 있으려면 가장 먼저 자신의 감정을 다스릴 줄 알아야 한다. 인생에서 기쁘고 즐거운 일만 겪는 사람은 없다. 누구나 살아가며 슬픈 일과 괴로운 일을 수도 없이 경험한다. 그런데 많은 사람이 슬프고 괴로운 경험에서 비롯된 감정적 상처를 온전히 소화하지 못한 채 마음속 깊숙한 곳에 묻어 둔 채로 살고 있다. 그대로 남아 있는 소화되지 못한 상처는 신나고 축하받을 일이 생겨도 긍정적 감정을 느끼기 어렵게 만들 뿐만 아니라 사소한 일에도 부정적인 감정이 먼저 앞서게 한다.

노잉을 인지하기 위해서는 우선 마음속에 담아두었던 불필요한 감정을 쏟아내고 마음을 깨끗한 상태로 만들어야 한다. 이것이 바로 인생의 준비운동이라고도 할 수 있다. 감정을 좋은 상태로 유지하면 행동에 여유가 생기고 기쁨과 자유, 사랑을 만끽하게 됨으로써 자연스럽게 감사하는 마음이 샘솟는다. 또 스스로에 대한 자신감을 바탕으로 다양한 아이디어가 떠오르고 깨달음을 얻기도 쉬워진다.

1단계: 내 감정의 현재 위치 파악하기

여러분은 스스로의 감정 상태가 좋은 때가 언제인지 정확히 알고 있는가? 감정이 좋은 상태는 마음이 평온하고 특별히 불만이 없으며 매사를 긍정적으로 받아들일 수 있는 상태를 의미한다.

지금부터는 감정 상태를 높음·보통·낮음으로 나누고 보통인 상태를 제로 지점이라고 칭할 것이다. 인생의 준비운동을 위해서는 제일 먼저 감정 상태를 제로 지점 이상으로 끌어올려야 한다. 나는 이 제로 지점을 '감정의 합격 커트라인', 이 지점보다 높으면 '감정의 합격 존'이라고 부른다.

오른쪽에 있는 〈감정의 카테고리〉를 함께 살펴보자. 감정의 합격 존에는 사랑과 기쁨처럼 긍정적인 감정이 위치한다. 반면, 제로 지점보다 아래에는 분노와 슬픔과 같은 부정적인 감정들로 가득하다. 여러분이 평소에 긍정적인 감정과 부정적인 감정 중 어느 쪽을 더 많이 느끼는지 돌이켜 생각해 보자. 그러면 내 감정의 현재 위치를 알 수 있다.

나는 오랫동안 감정의 기복이 크고 언제나 마음이 안정

〈감정의 카테고리〉

높음
(플러스, 긍정)

기쁨, 사랑, 자유, 환희, 행복, 만족, 긍정, 정열,
두근거림, 설렘, 낙관, 희망, 신뢰, 열의, 의욕,
흥분, 열광, 깨달음, 감사, 감탄, 자신감, 자존감,
활력, 수용, 원만, 안심, 충분

보통
(제로)
★감정의 합격 커트라인

만족, 양호, 적당, 납득, 심심(약간 부정적이지만 금방
편평한 감정이 될 수 있는 상태)

낮음
(마이너스, 부정)

절망, 무기력, 자기혐오, 자기부정, 불안, 두려움,
증오, 복수심, 혐오, 슬픔, 후회, 허탈, 슬픔, 분노,
외로움, 걱정, 불만, 초조, 스트레스, 포기, 삐침,
자기불신, 의심, 주저, 비관, 지루, 질림, 죄책감,
부끄러움, 인내, 낙담, 실망, 자책, 좌절, 격노,
질투, 우울

되지 않아 고민이었다. 자기 내면을 들여다보고 위로하는 수업도 들어보고 상담으로 마음을 편안하게 만들어보려고도 해 봤지만, 항상 같은 상황에서 화가 치밀어 오르고 불만도 딱히 해소되지 않았다. 가끔 기쁨이나 행복을 느끼기는 했어도 '감정의 합격 커트라인'에 도달할 정도는 아니어서 언제나 스트레스와 불만으로 가득 차 있었다.

자신의 감정과 마주하기 시작한 지 10년이 지났을 무렵에야 비로소 근본적인 치유는 내 감정이 합격 존에 들어가야만 가능하다는 사실을 깨달았다. 부정적인 감정에 사로잡힌 상태에서는 부정적인 감정을 없애려 온갖 방법을 동원해도 모두 소용없는 짓에 불과했다.

그런데 어느 날 우연히 슬픈 일이 있어 실컷 울고 났더니 기분이 조금 나아지는 것 같았다. '어라? 뭐지?'라는 생각에 다음에는 일부러 유튜브에서 눈물이 나는 동영상을 찾아보고 울었더니 울면 울수록 감정이 편안해지는 것이 아닌가. 바로 그때 나는 부정적 감정을 정화하려면 울음이 최고라는 사실을 실감했다. 그로부터 한 달 동안 나는 매일 일부러 울었다. 그러자 항상 변함없이 부정적인 상태에 머물러 있던 감정이 '제로'가 되고 평온한 상태로 조금씩 변해갔다.

이내 두근거림도 꿈도 하고 싶은 일도 없지만, 풀이 죽거나 과거에 있었던 일로 괴로워하지도 않는 고요하고 잔잔한 상태가 되었다. 그야말로 제로 상태가 된 것이다. 그리고 내 감정이 제로 지점에서 위로 올라갈수록 모든 일에 대한 감도도 조금씩 높아졌다.

감정을 제로 상태로 만들기 위해서는 자신의 마음속에 쌓아둔 부정적인 감정을 모두 내보내야만 한다. 사람마다 자기에게 맞는 방법이 다르겠지만, 나는 실컷 우는 행위로 내 안의 부정적인 감정을 쏟아냈다. 딱히 뭘 해야 할지 모르겠다면 울어보자, 실컷. 울음은 돈 한 푼 들이지 않고 누구나 간단히 할 수 있는 최고의 방법이다.

흔히 좋은 일이 생기려면 '좋은 기분을 가져야 한다'라고들 한다. 그런데 그 좋은 기분이 대체 어떤 것인지 도통 알 수 없는 사람도 많지 않을까. 나 역시도 그랬으니 말이다.

슬픔이나 불만이 가득 차서 자기혐오 상태에 빠진 사람은 자신에게 좋은 일이 무엇인지조차 모르는 경우가 많다. 감정이 제로가 된 다음에야 비로소 '난 이게 좋아, 이 일을 하고 싶어!'라며 본래 본인이 갖고 있던 호기심이나 정상적인 판단력이 발휘되기 때문이다. 그러므로 우리는 먼저 자신의 감정을 합격 커트라인까지 끌어올릴 필요가 있다.

감정을 합격 커트라인으로 올리는 과정이 항상 우상향일 수는 없다. 올라갔다 내려갔다를 수없이 반복해야만 한다. 예전에 좋은 감정을 유지하기 위한 '일주일 챌린지'에 도전한 적이 있다. 시작하고 나서 3일 동안은 평온한 마음을 잘 유지했지만, 4일째에 접어든 날 지하철에서 발을 밟힌 뒤부터 갑자기 화가 치밀어 올라서 챌린지에 실패했다. 게다가 모처럼의 도전에 실패했다는 사실에 더 기분이 나빠지는 바람에 결국 원점에서 다시 시작해야만 했다.

오랫동안 부정적인 감정에 시달렸거나 자기 긍정감이 낮은 사람일수록 자책과 자기혐오의 감정에서 벗어나기 어렵다. 이 감정들은 꽤 집요해서 떼어놓기 쉽지 않다. '나는 왜 이렇게 멍청한 걸까'라는 생각에 얽매이지 말고 부정적인 감정의 늪에 빠지기 전에 다른 즐거운 일로 눈을 돌려 보자. 스스로에게 분노의 화살을 겨누어서는 안 된다는 사실도 잊지 말자.

감정을 합격 커트라인까지 끌어올리는 과정을 감정 훈련을 위한 즐거운 게임이라고 생각해 보는 건 어떨까. 몇 번이고 실패해도 상관없다. 실패를 깨달은 것만 해도 성장했다는 증거이니 긍정적으로 받아들이고 즐기려고 노력하자. 힘든 일이 생기면 맛있는 음식을 먹거나 좋아하는 음악을 들으며 기분전환을 하는 것도 좋다.

만약 또 발을 밟히거나 지나가는 사람과 부딪히면 화를 내기 전에 생각을 바꿔서 '일부러 그런 건 아니잖아, 서두르고 있어서 부딪힌 걸 몰랐나 봐'라며 되도록 긍정적으로 받아들여 보자. 그러면 조금씩 마음에도 여유가 생길 것이다.

이처럼 여러 가지 방법을 시도해 보면서 합격 커트라인을 노려보자. 감정이 일단 합격 커트라인에 올라가 안정이 된 다음부터는 기분이 좋아지거나 나빠지거나 하더라도 다시 제로 지점으로 돌아오기 쉬워진다. 또 자신의 감정을 객관적으로 바라보는 습관도 생기기 때문에 감정이 부정적으로 변하는 것도 미리 막을 수 있다.

2단계: 감정 끌어올리기

마음속에 쌓아두었던 부정적인 감정을 모두 쏟아낸 다음 기분이 플러스마이너스 제로인 상태가 되면 자연스럽게 감정이 올라가는 느낌을 받을 수 있다. 제로 지점에서 긍정적인 감정을 조금씩 플러스해가며 기분을 더욱 업 시켜보자.

이때 내가 추천하는 방법은 '하고 싶은 일 리스트' 만들기이다. 우리는 약속 시간이나 부탁받은 일의 마감 기한처럼 다른 사람과 한 약속은 어떻게든 지키려 애쓰면서 이상하게도 자신과의 약속은 쉽게 어기고 깨트려도 아무렇지 않게 생각한다. 예를 들면 이런 것들 말이다.

- 아침 조깅을 하려고 했는데 날씨가 춥길래 그만두었다
- 군것질하지 않겠다고 다짐했는데 한밤중에 과자 한 봉지를 다 먹어버렸다
- 자기 전에 스마트폰을 보지 않기로 했는데 나도 모르게 보고 있다
- 쓰레기를 내놓아야지 하고 생각한 지 한참 지났는데 아직도 그대로다
- 온라인 영어회화 수업에 등록했는데 작심삼일로 끝나버렸다
- 옷장 정리를 해야 하는데 좀처럼 손이 가질 않는다

아마 당신에게도 마음속으로 찔리는 일이 한두 개쯤은 있을 것이다. 아무리 사소한 일이라도 자신과의 약속을 계

속해서 어기면 죄책감이 느껴지고 스스로를 신뢰할 수 없게 된다. 이럴 때는 하고 싶은 일 리스트를 만드는 게 도움이 될 수 있다. 잠깐 짬이 날 때 할 수 있는 일부터 실천해 나가면 리스트에 있는 일을 해치울 때마다 기분이 좋아질 것이다.

하고 싶은 일 리스트에 '출근 전에 마음에 드는 카페에 가서 커피 마시기'라든가 'TV에 나와 유명해진 디저트 가게에 가보기' 등 생각만으로도 가슴이 두근거리는 일을 마음껏 써보자. 많은 돈과 시간이 필요한 거창한 일보다는 일상 속에서 쉽게 할 수 있는 소소한 일들을 리스트에 적는 걸 추천한다.

'하고 싶은 일 리스트' 예시

스타벅스에서 신상 음료 마시기 / 머그잔 사기 / 새로 나온 과자 먹어보기 / 고양이 쓰다듬어주기 / 버스에서 한 정거장 먼저 내려 걸어가기 / 도서관에서 책 읽기 / 사우나 가기 / 책상 서랍 정리하기 / 잡지에서 본 입욕제를 사서 목욕할 때 써보기 / 시부야에서 라면 먹기

3단계: 좋은 감정 상태 유지하기

감정 레벨이 올라오면 그 상태가 오래 유지될 수 있도록 노력해야 한다. 감정 상태가 높아지면 마음은 평온하지만 하고자 하는 의욕이 불타올라 '앞으로는 또 어떤 일이 일어날까'라는 긍정적인 기대감으로 하루하루를 보낼 수 있을 것이다.

좋은 감정 상태를 표현하는 단어 중에 '두근두근'이라는 말이 있다. 진정한 두근거림은 억지로 감정을 끌어올린 상태가 아니다. 그런 가짜 두근거림은 일시적인 상태에 불과하며 오히려 본인과 주위 사람들을 피곤하게 만든다. 진짜 두근거림은 자연스럽게 들뜬 마음이 오래 지속되면서 자신과 주위 사람 모두에게 활기를 불어넣는다. 내 감정 레벨이 높아지면 주위 사람들에게도 좋은 영향을 주기 때문이다.

좋은 감정을 유지하기 위해 나는 하루에도 수십 번씩 '지금 무얼 해야 가장 두근거릴까'라는 질문을 스스로에게 던진다. 갑자기 한 시간의 여유시간이 생겼다면 스타벅스에서 커피를 마실지, 공원을 산책할지, 아니면 백화점에 가서 구경할지를 놓고 질문을 던져 보는 거다. 그리고 각각의 모습을 떠올린 후 가장 마음이 두근거리는 일을 고른다.

편의점에서 과자 하나를 사더라도 마찬가지다. 진열대 앞에 서서 어떤 걸 먹어야 제일 기분이 좋을지 마음으로 느껴본다. 처음에는 무얼 골아야 할지 좀처럼 결정하기 어려울 수도 있다. 하지만 끊임없이 질문을 하다 보면 내가 두근거리는 것에 '팍!' 하고 느낌이 오거나 생각하기도 전에 먼저 몸이 움직이게 된다.

감정 상태가 올라가면 어느 것이 내게 가장 좋은 것인지를 감지하는 센서의 감도도 높아지기 때문에 번뜩이는 떠오름도 더 많이 느끼게 될 것이다.

감정의 현재 위치나 사람의 성격에 따라 차이는 있지만, 열심히 훈련하면 대개 3주에서 3개월 정도에는 누구나 감정을 합격 존까지 끌어올릴 수 있다.

원래 감정 상태가 낮았던 사람일수록 단번에 감정 상태가 높아지는 경험을 하거나 더 큰 효과를 보기 쉽다. 나는 이러한 현상을 고무줄 사이에 물건을 끼워 넣은 상태로 고무줄을 끊어지기 직전의 아슬아슬한 상태까지 당겼다가 놓으면 엄청난 속도로 물건이 날아가는 모습에 빗대어 '고무줄 법칙'이라고 부른다.

지금부터 소개할 '3개월간의 감정 실천방법'을 통해 나또한 많이 변했다. 덕분에 지금은 높은 감정 상태를 유지하기 위해 노력하면서 생활하고 있다. 감정 상태가 좋아지면 세상을 보는 눈이 변하고 멋진 하루를 보낼 수 있음에 감사하며 아침을 맞이하게 된다. 예전에는 화가 났을 법한 일들도 너그럽게 용서하고 매사를 긍정적으로 받아들일 수 있다. 또 떠오름과 끌림을 느끼거나 싱크로니티로 인해 당신에게 꼭 필요한 사람과 기회가 제 발로 찾아오는 일도 더 많이 생기게 될 것이다.

물론 지금도 생각지도 못했던 사람에게 싫은 소리를 듣거나 일이 잘 풀리지 않을 때도 있다. 하지만 그런 일로 풀이 죽거나 초조해진 마음은 그리 오래 가지 않는다. 금방 원래의 평온한 마음 상태가 되돌아온다.

내 친구들과 온라인 살롱 멤버들도 '3개월간의 감정 실천 방법'을 실천하고 있는데, 실천한 사람들은 모두 긍정적인 변화를 경험했다. 반년 후에 다시 만났을 때는 마치 다른 사람처럼 분위기가 바뀌어서 못 알아볼 정도였다.

온라인 살롱에 참여했던 한 여성은 "저는 사회성이 떨어지고 제대로 된 관계를 맺을 수 없는 사람이라 연애도 제대로 해 본 적이 없어요"라며 고민을 털어놓았다. 언제나 불안과 공포에 시달리던 그녀는 3개월간의 감정 실천 방법을 직접 경험한 후 자기 자신과 세상을 바라보는 눈이 완전히 달라졌다. "이제는 안정적인 관계를 맺을 수 있다는 자신감이 생겼어요. 저에게도 좋은 사람이 나타나겠죠?"라며 눈을 반짝이던 그녀의 얼굴이 아직도 생생하다. 무엇이든 열심히 하고자 하는 열정과 의지도 똑똑히 느낄 수 있었다. 과거에 있었던 일에서 벗어나 미래로 눈을 돌림으로써 성

격도 한층 밝아진 그녀에게 아마도 조만간 멋진 연애 상대
도 나타나지 않을까 싶다.

같은 온라인 살롱을 통해 만난 또 다른 남성은 이직 활동
이 마음먹은 대로 되지 않아 골머리를 앓던 참이었다. 하지
만 3개월간의 감정 실천 방법을 시작하고 한 달 정도가 지
난 뒤부터 감정 상태가 눈에 띄게 좋아지고 의욕도 높아진
덕분에 멋지게 이직에 성공했다.

나중에 그가 보낸 정성스러운 감사 메일을 받았는데, 예
전에 보냈던 두서없고 장황한 장문의 메일과는 전혀 다른
깔끔하고 유머러스한 메일을 보고 깜짝 놀랐다. 도저히 동
일인물이 쓴 글이라고는 생각할 수 없을 정도였고 그만큼
많이 변한 그의 감정 상태를 고스란히 느낄 수 있었다.

실제로 항상 좋은 감정 상태를 안정적으로 유지하면서
여러 가지 일들을 빠릿빠릿하게 처리하는 사람은 생각보다
적다. 이와 마찬가지로 낮은 감정 상태에만 계속 머물러 있
는 사람도 그리 많지 않다. 사람이라면 누구나 마음이 편안
한 날이 있는가 하면 우울하고 힘든 날도 있는 법이다. 맛
있는 음식을 먹으면 기분이 좋아지고 골치 아픈 업무를 떠
올리면 우울한 것이 인지상정이다. 이렇게 긍정과 부정의

감정 사이에서 계속해서 흔들리다 보면 피곤해질 수밖에 없다.

그러므로 감정 상태를 높게 유지할 수 있으면 기분 좋게 인생을 살아가는 데 도움이 될 뿐만 아니라 자신의 미래로 연결되는 두근거림까지 덤으로 얻을 수 있다. 감정 상태의 변화에 따라 어떤 일이 일어나는지 게임처럼 즐겨 보자.

자신의 감정과 마주하며 앞으로의 인생을 확 바꿔줄 3개월간의 감정 실천 방법은 당신의 인생에서 가장 소중한 경험이 될 것이다.

첫 번째 달: 감정을 제로 상태로 만든다

가장 먼저 마음속 깊은 곳에 묻어둔 감정을 일부러 자극해서 드러내자. 소화하지 못하고 쌓아둔 감정은 대개 슬픔과 분노인 경우가 많다. 몸을 따뜻하게 해서 긴장을 풀어주면 조금 더 쉽게 감정을 쏟아낼 수 있으니 참고하면 좋다. 혹시 사정이 있어 집에서는 감정을 분출하기 어려운 사람은 호텔이나 노래방 등에 가서 혼자서 기분이 풀릴 때까지 마음껏 울고 화내는 걸 추천한다.

• 하염없이 울기

개인적인 경험에 비추어 볼 때, 감정을 내보내는 데에는 울음만 한 것이 없다. 눈물을 흘림으로써 슬픔이나 분노와 같은 부정적인 감정을 한꺼번에 쏟아낼 수 있기 때문이다. 어린아이처럼 엉엉 소리를 내어 울다 보면 더 빨리 마음이 정화된다. 항상 무기력하거나 분노가 슬픔을 억누르고 있는 사람일수록 슬픔보다 먼저 분노의 감정을 쏟아내야 한다. 그래야만 응어리진 감정이 쉽게 풀어진다.

울기 위해 예전에 겪었던 슬픈 경험 등을 굳이 기억해내려 하지 않아도 동영상이나 영화. 드라마, 만화처럼 눈물이 나는 콘텐츠를 보면 얼마든지 울 수 있다. 특히 유튜브에 있는 감동 영상은 눈물을 흘릴 수밖에 없도록 편집되어 있기 때문에 금방 울 수 있게 만들어 준다. 마음에 드는 영상을 보다 보면 내가 어떤 포인트에서 울음이 터지는지도 알 수 있게 된다. 나 같은 경우에는 고양이를 무척 좋아해서 가여운 처지에 있던 고양이가 상냥한 주인을 만나 행복해지는 영상을 보면 저절로 눈물이 쏟아진다.

• 마음껏 분노하기

분노는 무척 힘이 센 감정이다. 분노를 마음껏 느끼기 위해서도 에너지가 필요하지만, 커다란 분노는 정열과 의욕과 같은 긍정적인 감정의 에너지원이 되기도 한다.

손쉽게 분노를 쏟아내는 방법은 화가 나는 일을 종이에 갈겨쓴 후 갈기갈기 찢어버리는 것이다. 노트에 쓰면 내용이 남아 혹시라도 누군가 볼 수도 있으니 금방 처분할 수 있는 이면지 등에 쓰고 나서 바로 처리하자. 노파심에 한 가지 충고를 하자면, 접시 깨기처럼 물건을 부수는 행위는 추천하고 싶지 않다. 위험할 뿐만 아니라 뒤처리하는 동안 자기혐오가 느껴져 오히려 기분이 나빠질지도 모르기 때문이다.

어떻게 화를 내야 하는지 모르는 사람일수록 어릴 때부터 자신의 감정을 꾹꾹 참아만 왔을 가능성이 크다. 이런 사람은 가까운 사람에 대한 불만을 표출하는 것부터 시작하면 도움이 될 것이다.

'엄마 마음에 들려고 항상 착한 아이인 척했어요', '아버지의 말 한마디 때문에 평생 괴로웠어요', '남편이 제 마음을 이해해줬으면 좋겠어요' 등 어린 시절부터 말하고 싶었지만 말할 수 없던 일이나 오랜 시간 가슴 속에 묻어두었던 말들을 마음껏 쏟아내 보자.

또 일상생활 속에서 화가 나는 일이 생기면 그 감정을 일부러 열 배 정도로 부풀려서 분노를 느껴보는 것도 좋은 방법이다. '택배 아저씨가 물건을 너무 험하게 다뤄서 화가 났다, 그래서 택배회사에 전화했더니 직원도 불친절했다, 왜 자꾸 나한테만 이런 일이 일어나는 걸까'처럼 꼬리에 꼬리를 물며 분노를 끄집어내 보는 것이다. 이렇게 하다 보면 '회사 선배도 맨날 말만 번지르르하고 전혀 도움이 안 돼'와 같이 평소에는 꺼낼 생각조차 하지 못했던 본심이 툭하고 튀어나올지도 모른다. 전혀 개의치 말고 마음이 후련해질 때까지 전부 갈겨쓰고 찢어버리자.

• 기분이 좋아지는 향기 맡기

평소에 아로마 오일이나 향수처럼 좋은 향기를 가까이하면 좋다. 오감 중에서도 후각은 뇌의 중추부에 위치한 대뇌 변연계에 직접 영향을 주기 때문에 금방 효과를 느낄 수 있다. 마음을 편안하게 해주는 향으로 가장 유명한 것은 라벤더 향이지만, 감귤계의 향기나 페퍼민트처럼 시원한 향기도 분노를 잠재우는 효과가 있다고 한다. 감정 기복이 심한 사람은 손수건이나 마스크 등에 좋아하는 향을 뿌린 후 몸에 지니고 다니는 것만으로도 감정을 안정시키는 데 도움이 될 것이다.

• 편안한 음악 듣기

좋아하는 음악을 들으면 마음이 편안해지기 마련이다. 자율신경계에 직접 작용하는 음악이나 마음을 편안하게 하는 주파수대의 음악 등 마음을 치유하는 데 특히 도움이 되는 음악도 있다. 유튜브에도 다양한 음악이 올라와 있으니 각자 마음에 드는 음악을 찾아서 들어보자.

• 꿈 일기 쓰기

잠을 잘 때 종종 꿈속에서 슬픔이나 공포를 느낄 때가 있는데, 이는 감정의 정화 과정 중 하나이다. 일상생활 속에서 부정적인 감정을 표출하는 대신 꿈속에서 쏟아내는 것이다. 꿈 일기를 쓰면 꿈을 기억하는 데 도움이 되고 쉽게 잊히지 않기 때문에 꿈을 더 많이 꿀 수 있다. 꿈도 감정을 내보내는 데에 도움이 될 수 있으니 잘 활용해 보자.

• 몸 따뜻하게 하기

몸이 따뜻해지면 긴장이 풀어지고 감정도 더 잘 느껴진다. 목욕, 사우나, 암반욕, 훈증 등으로 몸을 전체적으로 따뜻하게 해주는 것이 좋다. 또 몸이 차가워지는 것을 막아주는 양말이나 넥워머 등을 사용하고 따뜻한 차를 마시며 평소에도 몸이 차가워지지 않게 해주면 더욱 효과적이다.

• 소금으로 정화하기

소금에는 정화 능력이 있어서 파도 소리를 들으며 모래사장을 맨발로 걸으면 좋다. 또 일설에 따르면 발에는 감정이 쌓이기 쉬워서 발바닥에 소금을 문질러주면 감정 정화에 좋다고 한다. 쉽게 구할 수 있는 식용 소금도 괜찮지만, 기왕이면 정제되지 않은 굵은 소금을 사용하자. 목욕할 때 소금 입욕제를 사용하는 것도 좋은 방법이다.

• 마사지하기

몸의 긴장을 푸는 데에는 마사지가 효과적이다. 요즘에는 컴퓨터나 스마트폰 화면을 오랜 시간 같은 자세로 보는 경우가 많아서 몸의 혈류가 원활하지 못한 사람이 많다. 일하다가 잠시 짬을 내어 어깨와 목을 움직여주거나 가벼운 스트레칭만 해도 한결 몸이 편안해질 것이다. 가끔은 전문가에게 마사지를 받는 것도 좋지만, 회사나 집에서도 틈틈이 발바닥이나 손, 귀 등을 주물러주도록 하자.

• 명상하기

호흡에 의식을 집중하며 복잡한 생각에서 벗어나 몸의 긴장을 풀고 마음을 안정시킨다. 나는 지하철이나 택시로 이동할 때나 마음이 심란할 때면 언제나 눈을 감고 명상하며 마음을 차분하게 한다. 명상에는 다양한 방법이 있으니 책이나 유튜브 등을 참고해서 자신에게 맞는 방법을 찾아보도록 하자.

첫 번째 달 〈감정 상태 점검〉
당신의 감정 상태는 어디쯤인가요?

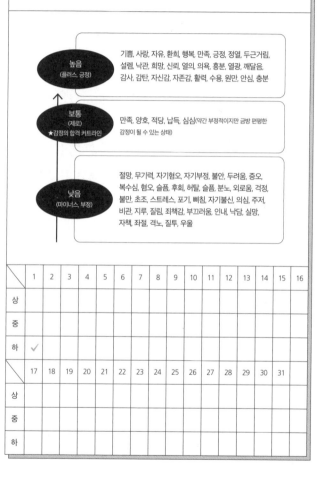

높음 (플러스, 긍정)

기쁨, 사랑, 자유, 환희, 행복, 만족, 긍정, 정열, 두근거림, 설렘, 낙관, 희망, 신뢰, 열의, 의욕, 흥분, 열광, 깨달음, 감사, 감탄, 자신감, 자존감, 활력, 수용, 원만, 안심, 충분

보통 (제로) ★감정의 합격 커트라인

만족, 양호, 적당, 납득, 심심(약간 부정적이지만 금방 편평한 감정이 될 수 있는 상태)

낮음 (마이너스, 부정)

절망, 무기력, 자기혐오, 자기부정, 불안, 두려움, 증오, 복수심, 혐오, 슬픔, 후회, 허탈, 슬픔, 분노, 외로움, 걱정, 불만, 초조, 스트레스, 포기, 삐침, 자기불신, 의심, 주저, 비관, 지루, 질림, 죄책감, 부끄러움, 인내, 낙담, 실망, 자책, 좌절, 격노, 질투, 우울

	1	2	3	4	5	6	7	8	9	10	11	12	13	14	15	16
상																
중																
하	✓															

	17	18	19	20	21	22	23	24	25	26	27	28	29	30	31	
상																
중																
하																

첫 번째 달 〈실천 노트〉
"감정을 제로 상태로 만든다"

To do list
- 하염없이 울기
- 마음껏 분노하기
- 기분이 좋아지는 향 맡기
- 편안한 음악 듣기
- 꿈 일기 쓰기
- 몸 따뜻하게 하기
- 소금으로 정화하기
- 마사지하기
- 명상하기
-
-
-
-

How about me?
- 나의 울음 포인트는?
- 나를 화나게 하는 것
- 내가 좋아하는 향은 무엇일까?
- 자주 듣는 플레이리스트
- 꿈을 자주 꾸는지? 어떤 류의 꿈을 꾸는지?
- 따뜻한 물 한 잔으로 하루 시작하기
- 내 주변의 소금 찾기
- 자기 전 하루 한 번 셀프 마사지
- 5분 명상 챌린지
-
-
-
-

감정을 제로로 만들기 위한 노력 기록하기

Day1

Day2

Day3

Day4

Day5

Day6

Day7

Day8

Day9

Day10

Day11

Day12

Day13

Day14

Day15

Day16

Day17

Day18

Day19

Day20

Day21

Day22

Day23

Day24

Day25

Day26

Day27

Day28

Day29

Day30

Day31

효과가 빠른 사람은 일주일만으로도 마음이 평온해지고 감정의 변화를 느낄 수 있지만, 한동안은 좋아졌다 나빠지기를 반복할 것이다. 감정 상태가 제로가 되어 잔잔하고 고요한 상태가 된 것을 스스로 느낄 수 있을 때까지 꾸준히 노력하자.

두 번째 달: 스스로와 좋은 관계를 맺는다

한 달간의 실천을 끝내고 감정 상태가 제로가 되면 그때부터는 감정이 올라오면서 자연스럽게 매사에 관심도 올라가고 의욕도 높아진다. 이 단계부터는 스스로와 신뢰를 쌓는 데에 주력하자.

노잉이 일어나려면 자신에 대한 100% 신뢰가 반드시 전제되어야 한다. 그러나 스스로를 신뢰하는 일은 생각보다 무척 어렵다. 많은 사람이 다른 사람과의 약속은 어떻게든 지키려 노력하면서도 스스로 정한 약속은 어기는 걸 아무렇지 않게 생각하기 때문이다.

내일이야말로 아침 일찍 일어나겠다고 다짐하고서는 늦잠을 잔다거나 아침에 일어나 조깅을 하기로 했는데 막상 일어나보니 너무 추워서 나가기 싫다는 핑계로 그만둬버리는 경우가 비일비재하다.

다른 사람과 한 약속은 무슨 일이 있어도 지키려 하면서 왜 나와의 약속은 이리도 간단하게 깨버리고 마는 걸까. 이런 일이 반복되면 스스로와의 신뢰는 절대 쌓일 수 없을뿐더러 노잉도 일어나기 어렵다.

• 하고 싶은 일 실행에 옮기기

나 자신과 단단한 신뢰를 쌓는 제일 쉬운 방법은 내가 하고 싶다고 생각한 일을 확실히 실행에 옮기는 것이다. 앞에서 소개한 것처럼 나는 스마트폰이나 수첩에 '하고 싶은 일 리스트'를 만들어 두고 쉬는 날이나 여유시간이 생기면 리스트를 펼쳐서 당장 할 수 있는 일부터 해치운다. 리스트를 만들 때는 '이번 주 일요일에 요가 하기'처럼 일정을 적어 두는 것도 좋지만, 그걸 꼭 지키기 위해 무리하거나 지키지 못했다고 자책하게 되면 주객전도나 다름없다. 여유시간이 있을 때나 틈나는 대로 할 수 있는 일을 써 두는 것이 좋다.

하고 싶은 일 리스트에 평소 먹고 싶었던 음식이나 가고 싶었던 장소 등을 기록해 보자. 아무리 사소한 것이라도 괜찮다. 다만, 하고 싶은 일 리스트는 감정을 플러스마이너스 제로 상태로 만든 다음에야 비로소 효과를 느낄 수 있다는 사실을 꼭 명심해야 한다.

감정이 합격 커트라인까지 올라와 있지 않으면 리스트에 '온라인 영어회화 수업 듣기'라고 적혀 있어도 '해외여행을 갔을 때 현지인과 이야기하고 싶으니까 열심히 해야지'처럼 긍정적인 생각이 아니라 '요즘 시대에 영어를 못하면 쓸모없는 사람 취급받을지도 몰라'라는 부정적인 생각이 앞서게 될 가능성이 크기 때문이다. 감정을 모두 쏟아낸 상태에서 생각하는 것만으로도 두근거리고 기분이 좋아지는 일을 리스트로 만들자.

• 몸 움직이기

감정 상태가 좋아지면 슬슬 몸을 움직이고 싶어 근질근질할 것이다. 그럴 땐 간단한 스트레칭이나 요가를 시작하거나 가볍게 걷기, 체육관에서 운동하기, 조깅하기 등 의식적으로 몸을 움직여 체력을 키워나가자. 건강도 좋아지고 일상생활에도 활기가 넘치게 될 테니 일석이조이다.

• 인식을 바꿔 생각과 행동 변화시키기

똑같은 장소에서 똑같은 일을 겪더라도 어떻게 인식하느냐에 따라 받아들이는 방법은 천차만별이다.

지하철에서 옆자리 사람이 자꾸 내게 기대오는 상황을 생각해 보자. '짜증 나게 왜 이래'라고 생각하면 마치 내가 피해자라도 된 것 같아서 더 기분이 나쁘지만, '일 때문에 많이 피곤하신가 보다. 정말 수고가 많으시네'라며 상대를 먼저 생각할 수 있게 되면 자신의 마음속 친절함을 발견하는 기회가 된다.

회사에서 무례한 메일을 보고 화가 났을 때도 일단 심호흡을 한 후에 '요즘 여유가 없으신가'라며 상대의 사정을 헤아릴 수 있으면 그 사람과의 관계는 물론 업무도 오히려 긍정적인 방향으로 진행된다. 이렇게 인식이 바뀌면 어떤 일이 일어나도 부정적인 기분을 느끼지 않게 된다.

• 감사 노트 쓰기

나는 매일 아침 감사 노트를 쓴다. 감사 노트에는 내 주위에서 일어난 모든 일을 돌아보며 감사하고 싶은 일을 모두 적는다. 보통은 기분 좋은 하루를 시작하기 위해 아침에 적지만, 잠들기 전이나 이동 시간에 틈틈이 적을 때도 있다.

감사 노트 쓰기가 습관이 되면 내가 가진 것들의 소중함을 다시 한번 깨닫게 되고 불평불만이 거짓말처럼 사라진다. 어떤 면에서는 마음을 단련하는 훈련이라고도 할 수 있다. 나는 감사 노트를 쓸 때마다 내가 살아 숨 쉬고 있는 이 순간 자체가 기적이라는 사실을 실감하며 인생을 살아가기 위한 용기가 샘솟는 걸 느낀다.

감사 노트는 항상 지니고 다니고 싶을 만큼 마음에 쏙 드는 디자인이나 보기만 해도 기분이 좋은 브랜드 등 자신이 가장 좋아하는 것으로 골라보자.

'감사 노트' 예시

비바람을 피할 수 있는 집이 있다 / 맛있는 밥을 먹을 수 있다 / 구름 사이로 비친 햇살이 기분 좋게 따사롭다 / 고양이가 건강하게 뛰놀고 있다 / 친구가 응원 메시지를 보내주었다 / 일할 수 있는 회사가 있다

두 번째 달 〈감정 상태 점검〉
당신의 감정 상태는 어디쯤인가요?

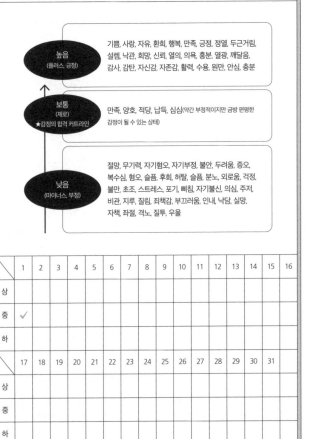

높음
(플러스 긍정)

기쁨, 사랑, 자유, 환희, 행복, 만족, 긍정, 정열, 두근거림, 설렘, 낙관, 희망, 신뢰, 열의, 의욕, 흥분, 열광, 깨달음, 감사, 감탄, 자신감, 자존감, 활력, 수용, 원만, 안심, 충분

보통
(제로)
★감정의 합격 커트라인

만족, 양호, 적당, 납득, 심심(약간 부정적이지만 금방 편평한 감정이 될 수 있는 상태)

낮음
(마이너스 부정)

절망, 무기력, 자기혐오, 자기부정, 불안, 두려움, 증오, 복수심, 혐오, 슬픔, 후회, 허탈, 슬픔, 분노, 외로움, 걱정, 불만, 초조, 스트레스, 포기, 삐침, 자기불신, 의심, 주저, 비관, 지루, 질림, 죄책감, 부끄러움, 인내, 낙담, 실망, 자책, 좌절, 격노, 질투, 우울

	1	2	3	4	5	6	7	8	9	10	11	12	13	14	15	16
상																
중	✓															
하																

	17	18	19	20	21	22	23	24	25	26	27	28	29	30	31	
상																
중																
하																

두 번째 달 〈실천 노트〉
"스스로와 좋은 관계를 맺는다"

To do list
- 하고 싶은 일 실행에 옮기기
- 몸 움직이기
- 인식을 바꿔 생각과 행동
  변화시키기
- 감사 노트 쓰기
-
-
-
-

What I want
- 스타벅스에서 신상 음료 마시기 ✓
- 새로 나온 과자 먹어보기
-
-
-
-
-
-
-

매일 감사 노트 쓰기

Day1

Day2

Day3

Day4

Day5

Day6

이번 달에는 자연스럽게 다양한 일에 도전하고 싶어질 것이다. '왠지 마음이 끌리는' 일이 많아지기 시작하므로 느낌이 왔을 때는 망설이지 말고 행동하자. 하고 싶은 일 리스트와 감사 노트는 이후에도 빼먹지 말고 쓰는 걸 추천한다. 좋은 감정 상태를 유지하는 데 큰 도움이 될 것이다.

세 번째 달: 직감을 갈고닦으며 기분 좋게 지낸다

감정 상태가 올라왔다고 해도 그 상태를 유지하기 위해 노력하지 않으면 언제 다시 감정이 내려갈지 모른다. 특히 오랫동안 분노와 슬픔, 무기력함에 시달리던 사람이 갑자기 행복과 만족감을 느끼게 되면 익숙하지 않은 감정들로 오히려 마음이 안정되지 않을 수도 있다. 최악의 경우에는 원래의 부정적인 감정으로 되돌아갈 가능성도 있으니 주의해야 한다.

감정을 유지하기 위해서는 내 기분이 좋아지는 일을 선택함과 더불어 기분이 나빠질 수 있는 가십이나 사건, 사고와 같이 자극적인 뉴스는 되도록 접하지 않는 것이 좋다.

• 기분이 좋아지는 선택하기

먹을 것이나 입을 것, 가고 싶은 곳과 이동할 때 무얼 타고 움직일지 등 무언가를 선택할 때는 항상 내 기분을 최우선으로 생각하고 선택한다. 카페에 갔을 땐 커피, 홍차, 코코아 중 무얼 마셔야 가장 기분이 좋아질지 생각해 보고 느낌이 오는 걸 골라보자. 기차에 탈 때도 창가 좌석에 앉을지 통로 좌석에 앉을지, 아니면 아예 서서 가는 게 좋은지 가장 마음에 드는 것이 무엇인지 생각해 보자.

처음에는 좀처럼 결정을 내리기 어려울 수도 있고 기껏 마음을 정한 후에 다른 게 더 좋았으려나 하며 후회할지도 모른다. 하지만 매일 연습하다 보면 결정하는 데 걸리는 시간도 줄어들고 내게 꼭 맞는 게 무엇인지도 확실히 알게 된다.

• 부정적인 정보 피하기

나는 TV나 인터넷 뉴스를 거의 보지 않는다. 그런 뉴스들은 아주 가끔 좋은 일을 알려주기도 하지만, 대부분은 가십이나 사건, 사고처럼 부정적인 내용이 주를 이루기 때문이다. 또 잠들기 1시간 전에는 침실 밖에 핸드폰을 두고 핸

드폰이 곁에 없는 상태에서 잠을 청한다. 푹 잠들기 위한 방법이기도 하지만 밤중에 깨서 잠결에 부정적인 뉴스를 보고 기분이 나빠지는 걸 막기 위해서이기도 하다.

벌써 몇 년이나 뉴스를 보지 않고 생활하는데 그동안 불편한 일은 전혀 없었다. TV와 인터넷을 통해 정보를 얻지 않아도 살아가는 데에 필요한 정보는 모두 귀에 들어오기 마련이니 걱정할 필요 없다.

• 불안과 공포는 드라마나 게임으로 유사체험하기

살면서 불안과 공포를 느낄 일이 아예 없다면 더할 나위 없겠지만, 때로는 그런 감정을 일부러 느끼고 싶을 때도 있다. 그럴 때는 현실 세계에서 느끼는 대신에 공포 영화나 게임 동영상 등을 보면서 공포와 스릴을 느껴보자. 영화나 게임은 엔터테인먼트일 뿐이고 직접 나와 관련된 일이 아니므로 그런 감정이 오래 지속되지 않는다.

• 기도하기

신사나 절은 사람들에게 힘을 주는 장소이다. 푸르른 자연 속 깨끗하고 정돈된 장소에서 기도하다 보면 자신의 마음을 더 잘 들여다볼 수 있다. 나는 힘든 일이 있을 때마다 신사를 찾아가 기도하고 출장지에서도 마음이 가는 신사나 절이 있으면 꼭 들린다.

이루고 싶은 소원이 있을 때만 신을 찾지 말고 나와 누군가의 행복을 기원하고 일상에서 느끼는 소소한 일들에 감사 인사를 하는 시간을 가져 보자.

• 앞으로에 대한 기대하기

흔히 사람들은 '전에는 더 잘했는데, 예전에 저 사람은 이런 일도 했는데'라며 과거와 현재를 비교하고 과거에 있던 일을 현재의 판단 근거로 삼는다. 과거의 경험은 내게 자신감을 주기도 하지만, 한편으로는 후회와 불만의 씨앗이 되기도 한다. 그러므로 우리는 과거가 아니라 미래를 바라보며 살아가야 한다.

나는 '앞으로 무슨 일이 일어날까'라는 말이 미래로부터 흘러들어오는 정보와 메시지를 빠르게 알아차리게 하는 마법과도 같은 말이라고 생각한다. 항상 이 말을 머릿속에 새기고 소풍을 앞둔 어린아이처럼 기대로 부푼 마음을 간직하며 생활하자.

세 번째 달 〈감정 상태 점검〉
당신의 감정 상태는 어디쯤인가요?

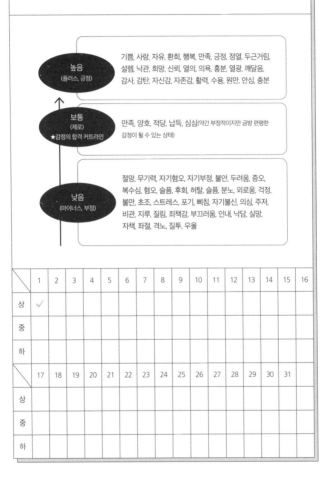

높음
(플러스, 긍정)

기쁨, 사랑, 자유, 환희, 행복, 만족, 긍정, 정열, 두근거림, 설렘, 낙관, 희망, 신뢰, 열의, 의욕, 흥분, 열광, 깨달음, 감사, 감탄, 자신감, 자존감, 활력, 수용, 원만, 안심, 충분

보통
(제로)
★감정의 합격 커트라인

만족, 양호, 적당, 납득, 심심(약간 부정적이지만 금방 편평한 감정이 될 수 있는 상태)

낮음
(마이너스, 부정)

절망, 무기력, 자기혐오, 자기부정, 불안, 두려움, 증오, 복수심, 혐오, 슬픔, 후회, 허탈, 슬픔, 분노, 외로움, 걱정, 불만, 초조, 스트레스, 포기, 삐침, 자기불신, 의심, 주저, 비관, 지루, 질림, 죄책감, 부끄러움, 인내, 낙담, 실망, 자책, 좌절, 격노, 질투, 우울

	1	2	3	4	5	6	7	8	9	10	11	12	13	14	15	16
상	✓															
중																
하																

	17	18	19	20	21	22	23	24	25	26	27	28	29	30	31	
상																
중																
하																

세 번째 달 〈실천 노트〉
"직감을 갈고닦으며 기분 좋게 지낸다"

To do list
- 기분이 좋아지는 선택하기
- 부정적인 정보 피하기
- 불안과 공포는 드라마나
  게임으로 유사체험하기
- 기도하기
- 앞으로에 대한 기대하기
-
-
-
-

What I wish
-
-
-
-
-
-
-
-
-

오늘 느낀 직감 기록하기

Day1

Day2

Day3

Day4

Day5

Day6

Day7

Day8

Day9

Day10

Day11

Day12

Day13

Day14

Day15

Day16

Day17

Day18

Day19

Day20

Day21

Day22

Day23

Day24

Day25

Day26

Day27

Day28

Day29

Day30

Day31

세 번째 달에 접어들 무렵에는 놀라울 정도로 당신의 세계가 변했다는 사실을 깨닫게 될 것이다. 싱크로니티로 인해 필요한 사람과 이어지고 기회가 찾아오는 것은 물론 '난 역시 운이 좋아'라고 생각할 만한 일들이 일어날 테니 말이다.

카페나 레스토랑, 지하철에서 이야기하는 옆자리 사람으로부터 우연히 정보를 얻거나 신문과 잡지, 옥외광고판에서 발견한 문구가 내게 꼭 필요한 메시지가 되기도 할 것이다. 사실 그런 일들은 이전에도 여러분의 주위에서 항상 일어나던 일들이다. 하지만 감정 상태가 좋지 않을 때는 그런 일을 알아차리기 어렵고 눈치채더라도 자신에 대한 메시지라고 생각하지 못하고 지나치는 경우가 대부분이었을 것이다.

이렇게 미래로부터의 메시지와 기회는 누구에게나 공평하게 찾아오지만, 내 것으로 만들 수 있을지 없을지는 받는 사람에게 달려 있다. 당신의 바로 옆에 있을지도 모르는 메시지를 부디 놓치지 말기를!

step.6 미래를 떠올리는 연습

지금까지 설명한 3개월간의 훈련을 통해 감정이 정리되면 주위에서 일어나는 일이나 인간관계도 점차 좋은 방향으로 개선되는 것을 느낄 수 있을 것이다. 그때가 바로 노잉의 리허설, 즉 미래를 떠올리는 연습을 시작해야 할 타이밍이다.

아침에 잠에서 깨면 침대 위에서 오늘 하루 일어날 일들을 미리 떠올려 보자. 아침부터 저녁까지 일어날 일들을 마치 이미 끝난 일들처럼 연달아 생각하면 된다. 예를 들어 '오전에 회사에서 프레젠테이션을 했는데 질문에 잘 대답했고 부장님께도 칭찬받았어. 점심으로 먹은 파스타는 싸고 맛있었어. 다음에 갈 때 쓸 수 있는 쿠폰도 받아서 너무 좋아. 퇴근 전에 선배가 일을 부탁했는데 모레까지만 하면 된다고 하니 정말 다행이야'처럼 말이다.

그리고 실제로 하루가 끝나면 밤에 자기 전에 그날 있었던 일들과 아침에 떠올렸던 일들을 비교하며 맞춰 보자. 이렇게 매일 꾸준히 연습하면 감각이 예민해질 것이다.

나와 친한 작가 중 한 명은 아침에 일어나면 그날 할 일을 떠올리며 노트에 일정을 정리한다고 한다. '12시에는 회사를 나와서 근처에 있는 레스토랑에서 맛있는 카레를 먹는다'처럼 머릿속에 떠오르는 대로 자세하게 적으면 더 좋다. 이렇게 써놓으면 노트에 적은 대로 진짜 맛있는 레스토랑을 발견하거나 다른 사람이 카레 맛집을 소개해주는 일이 심심찮게 생긴다고 한다. 미래를 떠올렸을 뿐인데 지금까지 보이지 않던 것들이 보이고 진짜 정보가 들어오기도 한다니 재밌는 일이 아닐 수 없다.

　마찬가지로 '미래 일기'를 써보는 것도 좋다. 일기형식으로 자신이 앞으로 경험할 하루를 적어보는 것이다. 나중에 읽어보면 진짜 현실로 벌어진 일들이 너무 많아서 놀라게 될지도 모른다.

　이처럼 습관적으로 미래를 떠올리다 보면 그날 일어날 일을 예견이라도 하는 듯한 일이 벌어지거나 실제 일어날 일을 상징하는 일들이 생기기도 한다. 내 친구는 어느 날 회사에 가기 위해 지하철을 기다리는데 플랫폼에서 말싸움하는 사람들을 봤다고 한다. 그 사람들은 지하철이 도착한 후에도 열차 안에서 계속 싸움을 이어나갔다. 친구는 아침부터 못 볼 꼴을 봤다고 생각하고 말았는데, 그날 오후 회사에서 진상 고객을 만나 유난히 힘든 하루를 보냈다. 나중에 돌이켜보니 아침에 본 싸움이 이 진상 고객을 의미한 게 아닐까 싶더란다.

의식 센서의 감도가 높아지면 이제까지 그냥 지나쳤던 작은 일들이 사실을 미래에 일어날 일들에 대한 중요한 정보라는 사실을 깨닫게 된다.

아침에 일어나 하루를 떠올리는 것부터 시작해서 점차 그 기간을 일주일, 한 달, 일 년으로 늘려가 보자. 그러다 보면 '3개월 후에 토익 800점 달성', '반년 후에 바다 근처로 이사' 등 왠지 모르게 현실감이 느껴지는 일들이 떠오를지도 모른다. 그렇다면 그건 진짜로 일어날 가능성이 무척 크다고 생각해도 좋다.

반대로 이상하게 마음이 술렁이고 느낌이 오지 않는다면 그건 떠오른 일이 아직 현실로 이루어질 때가 아니라는 의미이다.

꾸준히 연습하면 내게 어떤 미래가 찾아올지 예견하는 데서 그치지 않고 떠오른 일이 노잉의 메시지인지 아니면 단순한 바람과 망상에 불과한지 그 차이도 뚜렷하게 느끼게 될 것이다.

나의 미래 일기   년   월   일

오전에 회사에서 프레젠테이션을 했는데 질문에 잘 대답했고 부장님께도 칭찬받았다. 점심으로 먹은 파스타는 싸고 맛있었다. 다음에 갈 때 쓸 수 있는 쿠폰도 받아서 너무 좋다. 퇴근 전에 선배가 일을 부탁했는데 모레까지만 하면 된다고 하니 다행이다.

나의 미래 일기   년   월   일

나의 미래 일기　　　　　　　　　년　　　월　　　일

나의 미래 일기　　　　　　　　　년　　　월　　　일

나의 미래 일기 　　　　　　　　　　년　　　월　　　일

나의 미래 일기 　　　　　　　　　　년　　　월　　　일

나의 미래 일기　　　　　　　　　　　년　　　월　　　일

나의 미래 일기　　　　　　　　　　　년　　　월　　　일

나의 미래 일기 년   월   일

나의 미래 일기 년   월   일

노잉의 세계에 오신 것을 환영합니다

겨울 지나 봄이 오듯이

계절에 봄, 여름, 가을, 겨울이 있듯이 우리의 인생에도 푸르른 여름처럼 혈기 왕성한 때가 있는가 하면 창밖에 수북이 쌓이는 눈을 바라보며 집 안에서 가만히 쉬고 싶은 겨울의 시간도 있다.

바이오리듬은 사람마다 제각각이라 바로 지금 겨울의 시간을 보내고 있는 사람도 있고 한참 봄의 시간을 지나고 있는 사람도 있을 것이다. 겨울의 시간에는 마음먹은 대로 인생이 흘러가지 않거나 마치 무인도에 홀로 떨어진 것처럼 다른 사람들과의 교류와 활동이 일절 없어지기도 한다. 정체된 상황을 벗어나기 위한 아이디어도 좀처럼 떠오르지 않고 지금 하는 일에 대한 확신도 사라질지 모른다. 하지만 우리에게는 이런 시간도 꼭 필요하다. 자연이 차디찬 겨울을 지내고 봄을 맞이하듯 우리 인생에도 활짝 피는 때를 맞이할 준비가 필요하기 때문이다.

나는 이름에 겨울을 뜻하는 한자인 冬(겨울 동)이 들어가서인지 초목과 동물들이 조용히 잠드는 계절인 겨울을 참 좋아한다. 그리고 인생을 준비하는 시간인 겨울의 시간도 매우 귀중하다고 생각한다.

인생에서의 겨울의 시간을 나는 '잠시 쉬어가는 시간'이라고 부른다. 고층 빌딩의 계단을 보면 층과 층을 잇는 계단 사이에 편평한 공간인 계단참이 있다. 이 계단참이 없으면 계단이 구조적으로 불안정할 수밖에 없고 계단을 오르는 사이사이에 잠시 숨 돌릴 공간도 사라진다. 그래서 높은 건물에 계단을 만들려면 계단참이 꼭 필요하다고 한다.

그런데 사람들은 인생에서 조금이라도 멈추는 시간이 생기면 큰일이라도 생긴 것처럼 불안해서 어쩔 줄을 모른다.

하지만 바쁜 인생 속에서 잠깐의 멈춤은 계단참처럼 더 높은 곳으로 향하기 위해 잠시 숨을 고르는 시간이라 할 수 있다.

과학을 알기 쉽게 풀어 쓰는 것으로 유명한 작가 다케우치 가오루는 《천재의 시간》이라는 책에서 전 세계의 천재들에게는 다들 그들의 천재성이 꽃피우기까지 인생의 휴가 기간이 있었다고 말한다. 천재에게도 자신의 연구와 사색에만 온전히 몰입하는 고요한 시간이 존재했던 것이다.

뉴턴은 케임브리지 대학에 다니던 당시 런던에서 확산했던 페스트의 영향으로 대학이 폐쇄되자 고향인 울즈소프로 돌아갈 수밖에 없었다. 런던으로 다시 돌아갈 때까지의 20개월에 걸친 휴가 기간 동안 뉴턴은 사색과 실험에만 몰두했고 뉴턴 역학을 비롯하여 미적분, 광학에 이르는 그의 업적 대부분을 이 시기에 완성했다.

아인슈타인은 취리히 공과대학을 졸업한 후 대학에서 연구 활동을 계속하려 했지만 여의치 않아 어쩔 수 없이 베른의 특허국에서 일하게 된다. 그가 대학에 남을 수 없었던 이유는 교수들로부터 미움을 받았기 때문이라고 하는데, 불행 중 다행으로 그가 일하게 된 특허국은 일이 많지 않아

시간을 자유롭게 쓸 수 있었고 덕분에 훗날 아인슈타인이 발표하게 되는 상대성 이론에 대한 연구도 이 시기에 시작되었다.

마찬가지로 철학자 칸트와 분석심리학을 창시한 융, 진화론으로 널리 알려진 다윈 등도 모두 휴가의 시간을 거쳐 위대한 업적을 남겼다. 그들의 위업은 잠시 쉬어가는 시간이 없었다면 탄생하지 못했을지도 모른다.

잠시 쉬어가는 시간은 사람은 물론 회사와 같은 조직에도 반드시 필요하다. 시골 창고에서 직원 3명과 만든 일본전산을 30년 만에 120여 개의 계열사를 거느린 세계적 대기업으로 키워낸 나가모리 시게노부 회장은 회사가 크게 변하고 성장하기 위해서는 쉬어가는 시간이 있어야 한다고 말했다. 유능한 경영자일수록 뭘 해도 실적이 오르지 않고 잠시 성장을 멈추는 시기가 있다는 사실을 잘 알고 있다. 그런 때에 대비해 미리 준비하고 쉬어가는 시간이 지나가기를 묵묵히 기다릴 줄도 알아야 하는 법이다.

이처럼 잠시 쉬어가는 시간은 자기 자신을 되돌아보고 몸과 마음을 재정비하는 시간이자 더 높은 곳을 향해 날아오르기 위한 힘을 비축할 기회이기도 하다.

프리랜서로 다양한 직군의 수많은 사람과 교류하며 경험한 바에 따르면 누구에게나 10~12년에 한 번, 대략 2~3년 정도의 쉬어가는 시간이 찾아온다. 마치 제자리에 그대로 멈춰 있는 것처럼 느껴지는 쉬는 시간의 절정은 1년쯤 이어지기도 한다.

또 일 년 중에도 한두 달은 쉬어가는 시간이 있다. 그 시기가 되면 하던 일이 재미없게 느껴지고 인간관계도 잘 풀리지 않아 의욕도 사라지고 답답한 마음만 들지도 모른다. 하지만 쉬어가는 시간이 끝나갈 즈음에는 한겨울이 지나고 따사로운 봄 햇살이 비추는 것처럼 모든 일에 다시 활기가 돌기 시작할 것이다.

회사나 사생활에 갑자기 변화가 생기거나 뭘 해도 하기 싫을 때가 찾아오면, 처음에는 이것이 성장을 위해 쉬어가는 시간이라는 사실을 알아차리기 힘들지도 모른다.

쉬어가는 시간에 어떤 일이 일어날지는 사람마다 다르지만 때로는 자신이 병에 걸리거나 가족의 병간호를 위해 하던 일을 멈출 수밖에 없는 상황이 생길 수도 있다. 아무리 괴로운 일이 생기더라도 지금 나는 잠시 쉬어갈 뿐이라는 사실을 명심하고 긍정적으로 받아들여야 한다. 더 멀리 앞으로 나아가기 위한 준비시간이라는 점만 잊지 않는다면 마음가짐도 생활방식도 분명히 달라질 테니 말이다.

잠시 쉬어가는 시간 동안에는 억지로 새로운 일을 하려고 애쓰지 않아도 된다. 불안하고 초조한 마음으로 무언가를 해 본들 그 결과가 좋을 리도 없다. 그동안 힘들었던 몸과 마음을 푹 쉬게 하고 지금 상태를 유지하는 것만으로도 충분하다.

어떻게 살아야 할지 고민이라면

돌이켜 생각해 보면 네덜란드에서 노잉을 접한 이후부터 내 인생은 마치 모세의 기적처럼 양쪽으로 갈라진 바다 사이를 유유히 걸어가는 것 같은 하루하루였다.

십대 시절부터 책을 내고 싶다고 생각했었는데 수십 개의 출판사로부터 집필 의뢰를 받은 것도 모자라 저자 사인회와 강연을 위해 전국 각지를 돌아다니게 되었고, 각종 방송에 출연해서 주목받는가 하면 참가하는 이벤트마다 사람들로 북새통을 이루었다. 물론 많은 사람 앞에 나서야 하는 상황으로부터 받는 스트레스나 고생스러움도 있지만, 그 모든 걸 참을 수 있을 만큼 무척 멋진 시간이었다.

그리고 이만하면 주어진 역할을 훌륭히 마친 것이 아닐까 하는 생각을 하던 무렵 새로운 고민이 생겼다.

'나는 앞으로 어떻게 살아가야 할까.'

미래의 내 모습을 다시 떠올릴 때가 온 것이다. SNS를 그만두고 지금까지 해왔던 일과 인간관계로부터 거리를 두기 시작한 내게 남은 건 넘치는 시간뿐이었다. 도저히 거절할 수 없는 일만 최소한으로 하면서 '다음에 하고 싶은 건 뭘까, 이걸 하지 않으면 죽는 게 낫다고 생각할 정도로 하고 싶은 일이 있을까'라고 스스로 묻고 또 물으며 시간을 보냈다.

기왕이면 아예 해외에서 일을 찾아볼까, 아니면 지방으로 터전을 옮겨서 여유로운 생활을 즐겨볼까, 이런저런 고민이 들었지만 억지로 무언가를 하고 싶지는 않았기에 느긋한 마음으로 충분히 시간을 들여서 내 마음을 살펴보기로 했다.

그러던 어느 날, 친구와 차를 마시고 있던 때였다. 앞으로 뭘 해야 할지 고민이라고 털어놓은 내게 친구는 이렇게 되물었다.

"학생 때 뭘 좋아했었는지 기억나?"

학창 시절에 시간 가는 것도 모를 정도로 열중했던 일이야말로 진짜 하고 싶은 일이라고 말이다. 어릴 때는 '이걸 해야 돈을 많이 벌 수 있어'라든가 '어디 가서 부끄럽지 않으려면 이런 걸 해야지'라며 이것저것 따질 필요가 없어서 순수하게 내가 하면서 즐겁고 신나는 일에만 몰입할 수 있었기 때문이란다.

친구의 말을 듣고 가장 먼저 떠오른 것이 소설과 시나리오였다. 중학생 때 옆자리에 앉았던 짝꿍을 통해 추리 소설의 재미를 알게 된 이후로 노트 3권 분량의 소설을 썼다. 또 내가 쓴 소설을 읽은 한 친구가 고등학교 축제에서 상영할 영화의 시나리오를 부탁하기도 했었는데, 그때의 기억이 생생하게 되살아났다.

수업시간에 매번 선생님께 혼나면서도 교과서를 세워서 노트를 안 보이게 해 놓고 열심히 소설을 쓰던 기억과 한 번도 배운 적 없었지만 하루 만에 영화 시나리오를 완성했던 기억들……. 그 당시의 열정과 흥분이 다시 느껴지면서 마침내 내가 앞으로 가야 할 길을 찾은 것처럼 가슴이 쿵쾅거리기 시작했다.

하지만 며칠 지나지 않아 스멀스멀 피어오르기 시작한 의심은 나의 두근거림을 깨끗하게 지워버리기에 충분했다. 서른 살에 회사를 그만두기로 결심한 것도 큰 용기가 필요했는데 마흔 살이 다 된 마당에 다시 미지의 세계로 발을 들이는 게 과연 옳은 결정일까? 프로가 되려면 대체 얼마나 많은 연습이 필요할까? 애초에 소설과 시나리오를 써서 돈을 벌 수 있을 정도의 재능이 내게 있기는 한 걸까? 아무것도 모르던 어린 시절이면 또 모르지만, 이것저것 계산을 하면 할수록 냉혹한 프로의 세계에서 살아남을 자신이 전혀 없었다.

그렇게 어영부영 일 년여가 지났을 무렵 한 여성의 이름을 유난히 자주 접하게 되었다. 같은 이벤트에 참여하거나 친구와의 대화 속에 그 여성이 등장한다든가 다른 작가로부터 받은 책에 그녀가 쓴 추천사가 쓰여있다든가 하는 형태로 말이다.

앞에서도 말했듯이 이러한 싱크로니티는 미래로부터의 메시지나 다름없다. '이 사람은 어떤 형태로든 내게 중요한 사람이 될 거야'라는 생각이 들었고 바로 만날 약속을 잡았다. 그렇게 만난 그녀는 내게 아가스티아의 잎에 대한 이야기를 들려주었다.

아가스티아의 잎은 고대 인도 신화에 등장하는 성자 아가스티아가 남긴 예언서이다. 나는 이십 대 중반까지 점이나 미신에 회의적이었지만, 이상하게도 아가스티아의 잎은 예전부터 계속 신경이 쓰였다. 정확하지는 않지만 같은 제목의 책이 일본에서 베스트셀러가 되기도 했고 TV나 각종 미디어에서 소개된 적이 있었는데, 그걸 보고 '언젠가 나도 아가스티아의 잎을 열어보고 싶다(내 미래를 알고 싶다)'라고 생각했던 것만큼은 뚜렷하게 기억이 난다.

그런데 웬걸 그녀가 인도의 예언가를 소개해주겠다는 것이 아닌가. 그녀가 내게 "아가스티아의 잎을 열어보고 싶나요?"라고 물어본 순간부터 온몸이 떨려왔고 바로 거기에 내 미래에 대한 중요한 정보가 있을 것이라는 확신이 들었다. 이것 또한 바로 노잉이었다. 그 뒤로 이야기는 착착 순조롭게 진행되었고 나는 마침내 아가스티아의 잎과 대면할 수 있었다. 구체적인 예언 내용에 대해서는 자세히 소개할 수 없지만, '당신은 시나리오를 쓰게 될 것이다'라는 내용이 있어서 깜짝 놀랐다는 것만 살짝 이야기해 두겠다.

예언을 들은 이후에도 '결국 미신일 뿐인데 뭐……'라며 아무것도 하지 않던 내 앞에 거짓말처럼 영화감독과 시나리오 작가들이 차례로 나타나기 시작했다. 그들과 어울리다 보니 어린 시절 느꼈던 두근거림이 점차 커졌고 '까짓거 한번 해 보자!'라는 도전정신이 타올랐다.

결국, 지금은 시나리오 작가로서 남녀노소 즐길 수 있는 이야기를 만들고자 열심히 글을 쓰는 일상을 보내고 있다.

남은 건 다시 모험을 떠나는 일

매일 컴퓨터 앞에 앉아 무아지경으로 키보드를 두드리다가 퍼뜩 정신이 돌아오는 순간이 있다. 그럴 때마다 왠지 모르게 불안해지기도 하지만 그럼에도 불구하고 이 일을 꼭 하고 싶다는 확신이 훨씬 크다. 다음에 기다리고 있을 문을 열면 또 어떤 세계가 펼쳐질까? 하고 상상하다 보면 어린아이처럼 마음이 부풀어 오르곤 한다.

서른두 살에 처음으로 쓴 책이 출간된 이후로 딱 10년이 지났다. 학창 시절 도서관에서 수많은 책에 둘러싸인 채 '언젠가 꼭 내 책을 쓰고 싶다'고 바랐던 일이 현실이 되다니 그동안 나와 내 책을 위해 애써주신 분들에게 감사할 따름이다.

마음으로 이어진 소중한 친구이자 이 책이 탄생하기까지 수고를 아끼지 않은 편집자 사이토 류야에게도 고맙다고 말하고 싶다. 노잉이라는 영혼의 느낌, 그 강렬하고도 아름다운 감각을 많은 사람에게 전할 수 있도록 구체적인 콘텐츠로 만들어 책에 담을 수 있던 건 모두 그의 덕분이다. 그가 없었더라면 이 책은 세상에 나올 수 없었을지도 모른다.

두서없는 내 이야기를 알기 쉽게 구성해준 작가 다나카 미와와 이 책을 위해 고생한 선마크 출판의 모든 관계자 여러분께도 진심으로 감사드린다.

꿈은 우리가 힘을 낼 수 있도록 도와준다. 그 힘은 무척이나 크고 위대하다. 혹여 꿈이 이루어지지 않더라도 부푼 가슴으로 꿈을 간직하고 꿈의 실현을 위해 노력한 행동과 경험 모두는 틀림없이 내게 자산으로 남을 것이다. 그러므로 우리는 언제나 꿈을 가져야만 한다.

노잉은 영혼의 목소리다. 이 감각을 불러일으킬 수 있다면 더는 길을 헤맬 필요도 없다. 목표를 달성하지 못했다고 해서 낙담하지 않아도 되고 실패를 두려워하며 불안에 떨지 않아도 된다. 이미 그렇게 되리라는 것을 알고 있었으니까 말이다.

이 책을 읽은 당신은 이미 노잉의 스위치를 켠 것이나 다름없다. 노잉이라는 말과 현상이 '존재한다'라는 사실을 아는 것만으로도 영혼으로부터의 목소리에 대답할 준비가 되어있는 것이나 마찬가지다. 온몸이 떨릴 정도로 감동적인 인생 속으로 힘차게 나아갈 당신을 진심으로 응원한다.

노잉 *Knowing*

미래가 이끄는 삶, 보장된 성공으로 가는 길

초판 1쇄 발행 2023년 2월 15일

지은이 안도 미후유
옮긴이 송현정
편   집 김은지
디자인 페이지엔

펴낸곳 ㈜해와달콘텐츠그룹
브랜드 오월구일
출판등록 2019년 5월 9일 제 2020-000272호
주소 서울특별시 마포구 양화로 183, 311호
E-mail info@hwdbooks.com
ISBN 979-11-91560-30-5